KB171723

점퍼Jumper, 순간이동자 1권

Jumper, The Teleporter 1

점퍼Jumper, 순간이동자1

발 행 | 2024년 03월 25일
저 자 | 장성우(살생금지)
펴낸이 | 장성우
펴낸곳 | 인생은 인쇄다
출판사등록 | 2023.7.17.(2023-000037호)
이메일 | jsoooosj@naver.com

ISBN | 979-11-93868-08-9(04810) / 979-11-93868-13-3 (세트)

jsoooosj.upaper.kr
ⓒ 장성우(살생금지) 2024
본 책은 저작자의 지적 재산으로서 무단 전재와 복제를 금합니다.

점퍼Jumper, 순간이동자 1권

장성우(살생금지) 현대 판타지 소설

목차

작가의 말

점퍼Jumper, 에 대한 작가의 말입니다.

음.

저는 소설가이고

경력을 말하자면

판타지 소설가라고 할 수 있을지 모릅니다.

뭐, 장르라는 건 결국 소설의 겉면을 치장하는 도구에 불과하기에. 핵심을 파악하고 있다면 여러 장르를 쓰는 것 역시 가능은 하죠. 아무튼 그래서 하고자 하는 말은...

판타지 소설을 빡세게 쓰다가 머리가 좀 아프면 이렇게, 현대풍의 소설을 쓰곤 합니다. 이것 역시 아주 재미있기는 하지만. 써야 하는 장편 서사시들이 아직도 참 많이 남아 있습니다.

죽기 전까지, 쓰고자 하는 글들을 모조리 쓰는 것이 일단의 목표입니다.

음.

네.

여러분도 다른 사람의 주권을 침해하지 않는 선에서, 자유로이 하고자 하는 것들을, 늘 하시길 바랍니다. 참으로 어려운 세상이고 시대입니다. 우리나라는 더욱 그렇죠. 글을 읽는 여러분에게 조금의 즐거움이나 낙이 될 수 있다면, 더 바랄게 없습니다.

아, ...이 소설은 5권이 완결입니다. 그 첫 번째 시리즈, 가 되겠습니다.

24.3.15.金.저자, 장성우:살생금지 올림

0.prologue

점퍼Jumper.

순간이동자를 말한다.

2022년 3월 17일.

봄 날이었다.

“더럽게, 지겨워.”

민서는 조용하게 지껄였다. 그는, 여자같은 이름이었지만 그는, 집구석에서 뒹굴고 있었다. 작은 원룸. 그리 비싸지 않은 보증금에 월세. 서울 청량리의 어느 구석에 있는 한 반지하 방이었다.

약속도 없고, 일정도 없다. 그를 찾는 친구도 없고. 일자리도 없다. 그는 빈둥댔다. 통장에 저금은 얼마 남지 않았다. 뭐라도 해야 하지만, 당장 움직일 거리도 없었다. 그는 침대에 누워 있다가, 예전에 산 게임기를 꺼내 들어 몇 번 주물거리다 금세 질려버리곤 내려 놓았다.

조금도 신경 쓸 것이 없었다.

쿵!

하고 이상한 소리가 들렸다. 그는 침대에 누워 있다가 눈을 떠서 방안을 바라보았다. 낯선 사람이 서 있었다.

"……."

그는 순간 자신이 헛것을 보았나 했다. 멀쩡하게 생긴 사내가 방 안에 서 있었다. 신발을 신은 채, 바깥에서나 볼 법한 행인의 모습이었다. 깔끔한 정장을 입은 체격이 큰 사내. 그는 당황스러운 눈빛으로 민서를 바라보고 있었다. 그 역시 그를 바라보고 있었고.

민서는 현재 상황을 제대로 인지하지 못하고, 반응할 수 없었다. 너무나 갑작스러운 일은 사람에게서 제대로 된 표현을 앗아가기 마련이었다.

'오 싯…….'

희미하게 그런 말이 들린 것 같았다. 쿵! 하고, 왠지 공기가 떨리는 것 같은 진동이 느껴지며 순식간에 인형이 사라졌다. 민서는 침대에 누워서 고개만 까딱한 채 굳어 있었다.

'내가 지금 뭘 본거지.'

입을 벌린 채 가만히 있었다. "……."

잠깐 다시 눈에 들어왔던 모습을 생각하면서 머릿속을 정리해보았다. 한 3분간 그렇게 해봤지만, 여전히 이해는 되지 않았다. 그는 고개를 흔들고 눈을 비볐다. 자신의 방에는 아무도 없었다.

다만, 아까 그 인형이 나타나서 서 있던 자리에 흙이 조금 떨어져 있었고 방바닥에 굴러다니던 비닐봉지가 신발에 밟힌 듯 구겨진 채로 있었다.

현실이었다. 환각이 갑자기 흙덩이를 방바닥에 뿌리고 갈 리는 없었을 테니까.

*

1.봄 이야기

민서는 여러가지 생각을 하고, 태도를 취했다. 잠깐은 두려움에 떨었다. 비상식적인 일이었다. 갑자기 이 현대 도시에서, 집 문과 벽이 아무짝에도 쓸모가 없고 괴한이 그 안에 들어올 수 있다면 그건 자신의 목숨이 어떻게 될지도 모르는 일이었다.

그리고 다른 한 켠으로는, 크게 신경 쓰지 않았다. 사람은 자신의 인지와 이해를 넘어가는 일을 맞닥뜨리면 계산을 포기하기도 한다. 자신이 대처할 수 없는 위협에 자신이 무언가를 할 필요는 없었다. 막는다고 막아 지는 것도 아니고. 일이 벌어지면 그때 다시 이야기를 해보든가 해야지.

민서는 대학교에서 자퇴한 청년이었다. 기계 공학과를 들어갔지만, 적성에 맞지는 않았다. 나름대로 머리를 굴려보려 했지만 그것으로 밥 벌어 먹고 살 길은 지난해 보였다. 그는 일찌감치 대학교를 자퇴하고 나와서, 이런저런 알바를 하며 살아가고 있었다. 무엇을 해야 하는가.

그는 별다른 꿈은 없었다. 어쩌면 정신적으로 거세된 것일지도 모른다. 미래를 향한 긍정적인 희망을 품을 수 없는, 절망감에 사로잡힌 상태일지도.

아무튼 부모님과는 멀리 떨어져 있었다. 지방에서 서울의 대학에 올라온 그는 자취를 하고 있었고, 혼자 살고 있었다. 별다른 계획도 없다면 지방으로 다시 내려오라고 하시는 것도 같았지만, 그는 서울이 나름대로 살만했다. 평생 살던 곳에서 벗어나 있다는 자체만으로도 그럭저럭 기분이 나아지는 것도 같았다.

핸드폰으로 근처의 알바 공고 따위를 보면서 검색했다. 그리고 근처의 편의점 하나에 연락해서 일하기로 했고, 하루는 오후 시간에 아르바이트를 하고 집에 돌아온 날이었다.

사람을 상대하는 건 피곤하다. 그렇게 심적으로, 육체적으로 부담스러운 일은 아니었지만 나름의 피로감은 있었다. 그는 집에 돌아와 대충 옷만 갈아입고 바닥에 누웠다. 여기저기, 정리되지 않은 개인 물건들이 나돌아다닌다. 신경 쓰진 않았다.

바닥에 누워 천장을 바라보다가, TV를 켰다. 작은 TV였지만 혼자 적적할 때 소음을 위해서 틀어두고는 했다. 가끔 볼 게 있기도 했고, 게임기를 연결해서 쓰기도 한다.

[……]

뭐라 뭐라 시끄럽게, 예능인들이 나와서 왁자지껄 떠드는 프로그램이었다. 즐겨보던 것은 아니었어서, 그냥 소음을 뱉도록 내버려 둔 채 관심을 껐다. 그는 방 안에 누워서 잠깐 생각을 멈추고 눈을 감았다.

삶은 스트레스와 지겨움의 반복처럼도 보인다.

그렇게 잠시간 있었다.

쿵!

그리고 다시 둔한 소리가 들렸다. 어딘가, 공기가 터져나가는 것 같은 소리였다. 강렬한 물체가 허공을 때리면 나는 소리처럼도 들렸다. 그리고 이 소리는 얼마 전에 들었던 것이다.

민서는 눈을 떴다. 방바닥에 길게 누워 있는 그의 앞에 한 청년이 서 있었다. 훤칠하게 키가 크고, 정장을 빼입은 남자였다. 구두를 신은 채였다. 그는 멀쩡하게 서서 민서를 바라봤다.

그는,

그러니까 민서는 너무 놀라서 바로 옆자리에 있던 물건을 집어 들어 던져버렸다. 뭔지는 정확히 확인을 못했으나, 날아가서 남자에게 맞고 보니 굴러다니던 핸드폰 충전기의 헤드였다. 휙, 딱.

의외로 팔만으로 집어 던진 거였지만 조준이 정확했다. 충전기 헤드는 훤칠한 남자의 이마를 때리고 떨어졌다. 청년은 살아있는 사람처럼 반응했다. “윽.”

큰 소리가 나지는 않았다. 가볍게 던졌어도 나름대로 아플 텐데. 민서는 순식간에 자리에서 일어나 섰다. 주변에 있는 무언가를 집어 들며 물었다. 조립을 중간에 하다가 말고 방바닥에 버려둔, 행거의 지지대 하나였다. 속이 빈 철제라 잘 휘두르면 사람을 한 번에 보낼 수 있는 물건이었다. 그제야 정장을 입은 청년, 깔끔하게 머리를 자르고 행색이 좋은 남자가 입을 열었다.

“아니, 잠깐만. 미안합니다. 이게 자꾸 오류가 나서…. 당신한테 악의는 없어요.”

좋은 말이었다. 별안간 남의 집 원룸에 신발을 신은 채 침입한 인간이 아니었다면 들어줄 용의도 있었다.

다만 바로 철제 봉을 휘두르지는 않았다. 의외로, 위기의 상황에서 민서는 침착하게 행동했다. 두 손으로 봉을 고쳐 잡으며 여차하면 목을 찌를 생각으로 근육을 이완시켰다.

"…내 입에서 비명이나 욕이 나오지 않는다는 게 놀랍지만. 씨발 당신 뭐야."

문장으로 적으면 맥락이 맞는 말은 아니었다. 민서는 침착함을 최대한 가장하고 있었지만 몇 초 사이에 감정이 널뛰기를 할 정도로 놀라고 있었다. 그는 자신도 모르게 욕을 뱉으며 남자에게 말을 걸었다. 보통, 집 안에서 괴한을 발견하면 적절한 태도이기도 하다.

"…일단 진정하세요. 놀랄 건 알지만. 여기에 찾아온 목적은 따로 없습니다. 그냥 좌표 오류가 나서 튕기는데, 그 지점이 놀랍게도 자꾸 여기로 고정될 뿐이에요. 당신한테 악의도 없고요."

민서는 두려움을 떨쳐내듯 봉을 한 번 위에서 아래로 붕, 털어내며 대답했다.

"내가 꿈을 꾸는 건가. 아니지? 목적? 좌표라고?"

정확히 말하면, 남자를 향한 대답은 아니었다. 그는 최대한 평정심을 찾으려 노력했지만 속의 생각이 입 밖으로 튀어나올 만큼 머릿속에 여유가 없었다. 안 그래도 복잡하고 고달픈 삶에 거대한 스트레스를 주는 상황이었다.

뭐 누구라도, 갑작스럽게 이런 위험한 상황에 처하면 이렇게 되기 마련이었다. 조금 더 대담하고 공격적인 성향이라면 바로 남자를 때리고 제압을 하려고 하겠지만. 민서는 그런 드잡이질에 능한 편은 아니라 시간을 끌고 있는 것뿐이었고.

"씁. 원래 이러면 안 되는 건데. 두 번이나 이 난리가 났으면 암시暗示도 안될거고…."

반면, 정장을 입은 청년도 나름대로 골치가 아픈 듯 혼잣말을 중얼거렸다. 머릿속 사고가 과부화가 되면 가끔 나오는 현상들이었다. 그리고 뒤늦게 충전기 헤드를 얻어 맞은 자리가 아픈지 빨갛게 달아오른 이마를 문지르고 있었다.

청년은 짧게 단정한 머리를 하고 있었고, 고급스러운 양복과 구두를 신고 있었다. 언뜻 보이는 손목의 시계도 저렴한 물건처럼 보이지는 않았다. 잘 정돈되고 깔끔한 모습. 어딘지 부유층의 냄새가 나는 꼴이었다. 그런 모습들이 아주 약간은, 민서의 심정을 진정시켰지만 근본적인 문제가 해결이 되지는 않았다.

민서가 다급한 감정을 뱉어내듯 말했다.

"뭐라는 거야. 일단 당장 이 집에서 나가. 이 미친 인간아."

민서의 머릿속 상태에 비하면 굉장히 정돈되고 매너 있는 말이었다. 그만큼 심정이 당황스럽기에 어색하기도 했지만. 청년은 일단 민서의 얼굴을 보며 웃어 보였다.

"예. 일단 나가죠. 여기서 이러는 건 일단 예의가 아닌 것 같고. 천천히 얘기합시다."

얘기라고? 뭐라는 거지 이 정신 나간 자식이. 민서는 얘기고 뭐고 당장 사라진 다음에 자신의 인생에 관여하지 않아 줬으면 싶었지만, 청년은 헤실거리며 사람 좋은 웃음을 지어 보이곤 손가락을 튕겼다.

딱, 하고 최면 술사나 마술사들이나 낼 법한 깔끔한 소리가 났다. 그리고 눈 앞의 허공이 일렁이더니 순간 청년이 사라졌다.

"뭐."

야, 라고 하기 전에 목소리가 뒤에서 들리며 손길이 느껴졌다. 아까 그 청년의 목소리였다. 그가 민서의 어깨에 손을 짚더니 말했다.

"일단 나가서 얘기합시다."

딱, 하는 소리가 들리며 공간이 일렁인다. 아니, 눈앞 전체가 어지럽게 흐려졌다. 현기증과 비슷했다. TV가 꺼지는 것처럼 순식간에 시야가 어둠으로 찼다. 그리고 바로 다음 순간 민서의 눈은, 서울의 도심지를 멀리까지 내려다보는 높은 위치의 전경을 비춘다.

"……."

다른 의미로 현기증이 몰려왔다. 그는 어질거리는 머리를 부여잡고 주변을 둘러봤다. 어느 빌딩의 옥상이었다.

민서는 이해되지 않는 일련의 상황에 잠시 생각을 포기했다. 손에는 여전히 철봉이 들려 있었다. 자신의 몸에 이상이 생긴 곳도 없었다. 멀쩡하게 움직인다. 어느새 다시 멀리 떨어져 있는 곳에서 정장 차림의 사내가 말한다.

사내의 목소리는 민서보다는, 침착했고 말투는 정돈되어 있었다.

"…놀라고 이해가 안 될 겁니다. 하지만 당신 앞에 저는 실존하는 사람이고, 특이할 뿐 당신과 다름없는 사람이기도 합니다."

민서는 별다른 말 없이 뒤를 돌아 사내를 처다봤다. 그 너머로 보이는 도시의 풍경과, 멀리 뻗은 시야에서 흐릿하게 보이는 남산의 모습에 서울이구나, 했다. 그리고 그와 함께 자신의 눈 앞에서 이야기를 하는 남자의 존재감이 기이하게 느껴졌다. 현실에서 벌어지는 일이었지만 지독하게 비현실적인 광경이었다. 간단하게 설명할 수 있는 상황이었다. 순간이동. 소설에나 나올 법한 일을 겪는 것뿐이었다. 민서는 철봉을 쥐고 있는 손이 땀으로 축축한 것을 느꼈다.

알 수 없는 것에 대한 두려움과, 괜한 긴장감이었다. 남자는 멀끔하게 생겼고, 잘생긴 축이었다. 말도 한국말로 하고 있었고, 평범한 한국인의 외형이었다. 다만 이 비현실적인 이질감은 어쩔 수 없었다. 민서는 크게 반응하지 않고 우선 그의 말을 듣는다.

"…이렇게 저 같은 사람들이 외부인에게 노출되면 보통은 최면이나 암시로 기억을 지웁니다. 애초에 말도 안 되고, 순간적인 일이라 다소 시간이 걸려도 큰일로 번지지도 않고요. 그런데 기억을 지우기도 전에 연속해서 이따위 실수가 벌어지다니…. 저로서도 일단 설명을 하고 설득을 하는 수밖에 없어서 이러고 있는 겁니다."

남자의 말과, 목소리가 멀게도 들렸다가 가깝게도 느껴졌다가 했다. 그의 정신에 따른 일이었다. 과도한 스트레스는 사람의 집중력을 흐트러뜨린다.

민서는 미간을 찌푸리며 초점을 잡았다. 어질어질한 기분이 드는 것도 같다. 어쨌든 말을 끝까지 들어보고 말 일이었다.

"……."

남자는 민서의 상태를 보며 잘 들리는가, 조금 더 가까이 다가와서 분명한 목소리로 이야기를 했다. 남자와 민서는 바람 부는 빌딩의 옥상에서, 몇 걸음은 떨어진 상태였다. 남자가 한 두 걸음 더 가까이 왔다.

"…아무튼 최대한 이해해보려고 노력해 보십시오. 이미 벌어지고 있는 일이니. 저희로서도 딱히 초인적인 최면 능력자를 보유한 것도 아니고… 약물을 쓸 수도 없고… 초법적인 일을 멋대로 벌일 만큼 깜냥이 크지도 않습니다. 당신이 이해하고 납득하는 게 최선의 방법이에요."
"…뭘 이해한다는 거지?"

민서가 말을 뱉었다. 남자가 답했다.

"뭐, 저희 같은 사람들이 있다는 걸 납득하고 너무 까발리지 말라는 이야기입니다. 물론 어디 인터넷에 올리는 정도야, 흔한 헛소리로 치부되겠지만… 너무 전문적이고 집요하게 뒤를 쫓고자 하면 저희도 곤란합니다. 잡힐 사람들도 아니지만 이런 일이 많아지면 행동의 제약이 생길 수도 있는 거니까요."

"너희…라면 당신 같은 사람들이 여러 명 있는 건가?"

남자가 과장되게 고개를 끄덕였다. 어디 영화에나 나올 법한 제스쳐였다.

"뭐 그렇습니다. 직접 말해줄 순 없지만 작은 단체를 이루고 활동을 할 정도는 되지요. 당신과는 크게 관련이 없는 일이니… 잊고 살면 될 겁니다."

"…그냥 그렇게 약속만 하면 되는 겁니까? 관여하지 않고, 단순히 잊겠다고."

민서의 말투가 누그러졌다. 대화의 내용에 따른 변화였다. 괴상한 힘을 보유한 정체 불명의 괴한이라고 하더라도, 말이 통한다면 협상의 여지가 있다. 그런 건 별로 어려운 일은 아니었다. 전적인 신뢰를 하는 건 여전히 어려운 일이었지만.

남자가 그런 낌새를 알아 들었는지 빙긋 웃으며 말했다.

"예. 그냥 잊으면 됩니다. 이번 일은 실수이고… 애초에 저희가 일반적인 사람 눈에 띄는 게 극히 드문 일입니다. 좌표 오류가 왜 거기로 고정이 되어서 두 번이나 자택에 침입하는 일이 벌어졌는지는 모르겠지만…. 의식적으로 주의하면 그럴 일은 없을 겁니다."

민서 역시 긴장이 풀린 듯 웃어 보이며 물었다.

"잊지 않는다고 하면? 그러면 뭐, 혹시 그쪽 조직이 강압적으로 나온다거나, 납치나 목숨을 위협하고 그런 겁니까."

민서가 가지고 있는 불안감이었다. 정체를 알 수 없는 인간이었지만, 상식적인 선에서 이해해보자면 무슨 짓을 벌일지 모르는 범죄 조직이랑 비슷하게 느껴졌다. 초법적인 일을 할 생각은 없다고 하지만 그럴만한 능력이 있을 때, 사람이란 건 수틀리면 어떻게 나올지 모르는 존재였다.

사내가 고개를 저으며 말했다.

"그럴 일은 없습니다. 말했듯이, 우리는 대책 없이 범죄를 저지르고 다닐만한 깜냥이 못됩니다. 순간이동을 할 뿐이지, 만화 속의 초인들 같은 존재들이 아니라서요. 그냥 당신이 모르는 세계에서, 다양한 일을 맡아서 처리하는 비밀스런 전문직일 뿐입니다."

전문직…이라고 불릴 만큼 과연 합법적이고 상식적인 일들만 하는 존재들일 지는 알 수 없다. 그러나 적어도, 눈앞에서 남자가 보이는 태도는 상식적인 면이 있는 듯하다. 휘말린 일반인에게 강압적으로 나오지 않는 것만 해도. 상식과 국가의 법에 배치되는 행동을 하는 이들은 아닌 모양이었다. 어디까지나 근거도 없는 추측에 불과하지만.

어쨌든 민서는 고개를 끄덕였다.

"…알겠습니다. 대충 그렇게 이해하죠. 내 인생에 도저히 이해할 수 없는 일이 일어났지만, 그냥 넘어가겠습니다. 다신 만날 일이 없으면 나로서도 좋고."

남자가 웃으면서 짧게 박수를 쳤다. 살짝 신경을 건드릴 만큼 과장스럽고 어색한 동작이었다. 그러나 남자의 웃는 표정은 진심인 듯 보였다.

"그걸로 됐습니다. 멋대로 신발을 신고 방 안에 들어간 건 미안합니다. 이제 그럼,"

'그럼?'

남자의 말에 끝맺음이 없어 당황하는 사이 청년은 다시 눈 앞에서 사라졌다. 이번엔 딱, 하는 손가락 튕기기도 없었다. 그리고 올 때와 마찬가지로 그의 뒤에서 인기척과 함께 어깨에 손이 올라왔다.

"돌아가죠."

웅.

하고 무언가 떨리는 듯한 느낌이 들었다. 세상이 뒤집혀 지는지. 어지러운 VR기기를 쓸 때와 느낌이 비슷했다. 시야가 흔들거리며 변한다. 그러다 아주 잠깐의 어둠이 찾아왔고, 다시 시야가 돌아왔을 때는…

그의 원룸 방이었다. 말소리가 귓 가에 맴돌았다.

"다시 볼 일은 없을 겁니다."

소리만 남고 형체는 사라졌다. 방 안은 그가 처음 누워 있을 때와 같았다. 뭐… 조금 어지럽혀 있었긴 했지만.

민서는 천천히 손에서 쥐고 있던 행거의 지지대를 내려 놓았다. 짧은 시간 안에 일어난 일이었다. 고작해야 3, 40분?

PM7:42.

전자 시계가 시간을 가리켰다. …. 어제 사다 둔 편의점 도시락으로 저녁이나 해결해야겠다. 배가 고팠다.

*

"……."

4월 1일.

만우절이었다. 민서의 원룸이었다. 그는 편의점 아르바이트를 주중에 다니고, 주말에는 쉰다. 미래를 계획하기 위해 하릴 없이 시간을 보내는 편이었다. 밥은 도시락이나, 간단한 냉동식품으로 끼니를 떼운다.

봄 날의 날씨는 포근했다. 원룸의 바닥에 작은 상을 펴놓고 점심을 먹던 중이었고. 이른 점심을 먹곤 곧바로 알바를 하러 나갈 셈이었다.

그리고 그는 편의점 도시락의 떡갈비를 입에 넣으려 든 자세 그대로 멈췄다.

왜냐면,

웅.

하면서 공기가 떨리는 듯한 특유의 진동이 느껴지며 그의 원룸에 이상한 인형이 나타났기 때문이었다.

"큭, 뭐야. 여기는. 이런 빌어먹을. 사람이잖아."

이번에는 한 사람도 아니었다. 한 명은 익숙한 얼굴이었다. 저번에 본 멀끔한 청년. 이번에도 정장을 차려입고 있었다. 다만 자켓이 벗겨지고 넥타이도 없었다. 여기저기 천이 찢어져 있었고, 손에는 경찰들이 들고 다니는 제압용 봉이 들려 있었다.

그리고 그 봉으로, 나이프를 든 상대와 대치하고 있었다.

"억."

사내, 그러니까 민서에게 익숙한 청년이 헛바람 들이키는 소리를 냈다. 그로서도 예상하지 못했다는 듯, 얼빵한 표정이었다.

두 사내의 등장은 원룸을 어지럽혔다. 나타나자마자 자세를 잡으며 힘 싸움을 하는 터라, 구둣발 따위에 방이 조금 어질러졌다. 민서는 들고 있는 떡갈비를 차마 삼키지 못하고 있었다. 상황을 움직인 건 반대편의, 칼을 들고 있는 남자였다. 그는 경광봉에 막힌 나이프에 힘을 빼면서 정장을 입은 청년의 소매를 잡았다. 그대로 허리를 뒤틀어 끌어당기며 뒤로 날리는 동작이었다.

예상치 못한 장소에, 민서를 보고 신경이 흐트러진 청년은 그대로 끌려갔다. 당할 수 없다고 느꼈는지 그는 아예 몸을 뛰어넘기며 힘을 받아 뒤로 넘어갔다.

원룸의 구조는 단순했다. 현관을 열고 들어와서, 신발장이 있고. 그대로 꺾어서 들어오면 방이 있다. 현관의 정면에는 화장실 벽이 있어서 좁은 공간이었다. 민서는 원룸의 안쪽 벽에 기대어 있었고, 그들은 현관 쪽 자리에 나타났다가 그대로 청년이 신발장을 향해 던져졌다.

"크."

잇새에서 호흡이 터져 나오며 그대로 날아가 박혔다. 우당탕! 호쾌한 소리였다. 액션 영화라도 보는 줄 알았다. 맹세컨대, 자기 집에서 저런 소리를 듣는 경우는 별로 없을 테였다. 어지간히 제정신이 아닌 이상에야.

그대로 신발장에 처박힌 청년에게 나이프를 든 사내는 성큼성큼 다가갔다. 멍청하게 앉아 있는 민서는 신경 쓰지도 않는 모양이었다. 민서는 멍청하게 떡갈비를 든 손을 내려놓지 못했다.

딱.

소란스러운 와중에 귓가에 그런 소리가 들린 듯했다. 마술사의 제스쳐처럼 선명하게 울리는 손가락 튕기는.

"이런 씹. 아직도 남아 있다고?"

나이프를 든 사내가 씹어 뱉듯 말을 했다. 소리와 동시에 신발장에 처박혀 구겨져 있던 청년이 사라지고, 떡갈비를 든 민서의 곁에 와 있었다. 저번처럼 어깨에 사뿐히 손을 올리고, 다시 손가락을 튕긴다. 딱.

"미안합니다."

그리고 민서가 인지한 건 명멸하는 시야였다. 원룸의 전등불이 꺼졌다가 켜진 것 마냥. 흐릿한 시야가 눈앞을 잠깐 담지 못했다. 그리고 다시 돌아왔을 땐, 어딘지 익숙한 광경이었다. 기억이 난다. 어디선가 본 도심지의 광경. 한 2주쯤 전에 왔던 빌딩의 옥상이었다. 멍청하게도, 그는 떡갈비를 쥔 채 빌딩 옥상 바닥에 앉아 있었다.

청년이 어깨를 툭 치며 일으켜 세우듯 잡아 힘을 줬다.

민서가 그 힘에 멍청하게 일어서고 그를 바라봤다. 청년이 말했다.

"일단 미안합니다. 저번보다 더 휘말리게 했네. 나도 상황이 통제가 안되니까, 일단 알아서 다치지 않게 숨어 있으세요."

응.

하고 곧이어 특유의 진동이 느껴졌다. 특이한 느낌과 소리였다.

거리의 멀고 가까움과 상관없이, 기묘한 전조는 공간이 일렁거리는 듯한 느낌과 함께 사람의 형상을 만들어 낸다.

나이프를 든 사내였다. 스포츠 용의 점퍼에, 검은 작업용 바지. 공사장에서 신어도 안전할 법한 등산화. 짧게 머리를 친 남자였고, 눈빛이 날카롭고 인상이 험악하다. 나이는 정장을 입은 청년과 마찬가지로 20대 중후반으로 보인다. 수염은 없고, 얼굴형도 날카로워 보였다.

정장을 입은 사내는 재킷은 반쯤 벗겨진 것을 아예 벗어서 손에 들었다. 여기저기, 드잡이질이나 나이프에 베인 듯이 찢기고 베인 자국이 보였다. 몸에서 피가 나지는 않는다. 칼 든 괴한과 다투면서, 솜씨 좋게 몸이 베이는 건 피한 모양이었다.

칼을 든 사내, 는 눈을 부라리면서 외쳤다. 민서는 본능적으로 떡갈비를 입에 넣고 빌딩 옥상의 구석으로 움직인 뒤였다. 옥상은 물탱크나 공기 순환기, 실외기 따위의 설비나 옥상으로 올라오는 문이 붙은 작은 건물이 있다.

민서는 옥상의 출입구 쪽으로 슬슬 움직여 청년이 바라보는 시야의 반대편, 칼 든 사내의 시야 사각에 있었다. 멀찍이서 그들의 대치를 바라보고 있었고, 칼 든 사내가 민서에게 관심을 보이는 것 같지는 않았다.

칼 든 사내가 입을 열었다. 그는 칼을 앞으로 들고 디딤발을 밟는 등 금방이라도 달려들 태세였다.

"다 죽은 줄 알았는데 아직도 여력이 남아 있었나. 아무리 그래도 종일 추격전을 벌인 너랑 내 횟수는 다르겠지. 잘난 조직원께서 떠돌이에게 팔이라도 잃으면 고개나 들고 다니시겠어."

청년이 말했다. 그는 재킷을 한 손으로 늘어뜨린 채, 들고 있었다. 여차하면 두꺼운 천으로 단검을 막고 목이라도 조를 셈인 듯 싶었다.

청년이 답했다.

"떠돌이라고 하기엔 조직적이던데. 적어도 네 팀과 그 머리의 신상 정도는 밝혀내야겠어."
"너무 그러지 말라고. 이게 다 당신들이 지나치게 억압을 하니까…"

칼 든 사내의 말은 거기까지였다. 그 순간에 민서의 눈에는, 여전히 말도 안 되지만 사내의 모습이 순식간에 그 자리에서 사라지는 게 보였다. 마술사가 잘 준비해서 보이는 장면 같았다. 다른 점이라면, 이건 영상도 아니고 준비된 장치도 찾아볼 수 없다는 점이었다.

사라진 사내의 칼날은 청년의 뒤에 나타난다. 그는 한 발자국 뒤에 나타나서 그대로 정신을 잃지 않고 칼을 휘둘렀다. 민서가 순간이동을 당했을 때는, 현기증으로 잠시 움직이지 못했는데 저들은 익숙한 모양이었다.

순간이동은 움직임에 대한 전조가 없다. 거리가 떨어져 있어도 곧바로 다가오는 움직임은 일반적으로 대처할 수 없는 것이었다. 그러나 이런 종류의 전투에 익숙한지, 청년은 곧바로 그 전조를 읽고 앞으로 뛰쳐 나갔다.

순간이동의 횟수에 제한이 있는 모양이었다. 그들의 모든 움직임이 순간이동으로 이루어지지 않는 걸 보면 말이다. 청년은 앞으로 달리며 칼날을 피했다. 운동선수와 같은 반사신경이었다. 그것을 쫓는 사내도 만만치 않았다. 순간이동이라는 점을 빼면, 본격적인 전투였다. 민서는 만화에서나 보던 '킬러'를 떠올렸다. 초인적인 전투 능력과 기술을 가진 상상 속의 괴물들. 혹은 고도로 단련된 특수부대 요원과 비슷할지도 몰랐다.

근접전에서 그들의 박투는 정상적인 것이었다. 살면서 그다지 볼 일 없는, 빠르고 정교한 움직임들이었지만.

먼저 뒷목을 향해 휘둘러진 나이프가 허공을 갈랐다. 순식간에 몇 걸음 뛰쳐나간 청년은 그대로 뒤로 돌며 재킷을 겹쳐서 내세웠다. 한쪽 손에는 접이식 경찰봉이 여전히 들려 있었다. 마주본 상태에서 다시 나이프를 든 사내가 달려 들었다.

타닥, 하고 가볍게 탄탄한 거구가 날았다. 사내는 상대가 내세운 재킷을 왼손으로 잡아 치우며 그 틈으로 나이프를 찌르려 했다. 양손으로 재킷을 팽팽하게 펼치고 있던 청년은 그대로 재킷을 밀어 올렸다. 그 위로 팔을 뻗으려던 사내의 팔이 위로 밀려 올라갔다. 움직임은 청년이 좀 더 빠른 듯했다.

청년은 그대로 재킷을 휘감아 상대의 팔과 목을 함께 묶었다. 몸으로 들며 들어간 거라 나이프를 함부로 움직여 그 등을 찌르지도 못했다. 상대의 팔을 껴안듯이 다가가 재킷으로 묶고는 그대로 고개를 빼서 뒤로 돌아간다. 청년은 무릎으로 뒤에서 상대의 오금을 치고는 경찰봉의 손잡이를 쥐고 그대로 상대의 후두부를 쳤다.

퍽!

섬뜩한 소리가 들린다. 사내도 만만한 상대는 아니었다. 그가 뒤로 돌아가자마자 몸을 돌리며 빠져나오려 했지만, 청년이 조금 더 빨랐다. 머리를 얻어맞자 움직임이 흐트러졌다. 격투기라고 해도 한순간이면 승부가 결정 나기에 충분하다. 그리고 지금 이 빌딩엔 심판도, 링도 없었으며 규칙도 없었다.

머리가 어질거리는 듯 주춤하는 사이에 청년이 그대로 상대의 발을 걸어 밀어 넘어뜨렸다. 힘이 빠진 사내는 곧바로 저항하지 못하고 바닥에 얼굴을 대고 깔렸다. 팔을 뒤로 꺾어 부러뜨렸고, 나이프를 놓치게 했다.

청년은 깔린 상대의 목과 바닥의 틈새로 경찰봉을 집어넣고, 양 무릎으로 상대의 어깨를 짓눌렀다. 팔로는 양손으로 경찰봉의 끝을 잡고 순식간에 목을 졸라 부러뜨리거나, 기절시킬 수 있을 것 같았다.

제대로 말도 나오지 않는 상황에서 청년이 물었다.

"알다시피 순순히 끌려가면 죽이진 않아. 우리도 시체를 처리하는 취미는 없어서. 이제 좀 불 생각이 있나?"

사내는 목이 막힌 상태에서 가래가 끓듯 대답했다.

"개…새끼."

청년으로서는 만족할만한 대답이었다. 그는 그대로 봉을 짧게 쥐더니, 손가락을 목 아래에 집어넣어 그대로 팔을 넣고 끌어안듯 내려가 초크 자세를 취했다. 팔뚝에 잠깐 힘이 들어가는가 싶더니, 얼마 지나지 않아 상대의 몸이 축 늘어졌다.

"……."

청년은, 그대로 잠시 말없이 위에 올라타 있었다. 민서는 그 광경을 지켜보며 역시 가만히 있었고. 숨 가쁜 움직임 뒤에 호흡을 고르는 듯도 보였다.

*

민서는 마른 침을 삼켰다. 벌리고 있던 입에 먼지나 바람 따위가 들어와 텁텁했다. 문득 아직도 들고 있던 떡갈비가 생각났다. 불편하고, 버리기도 아까워서 나무 젓가락에 꽂아둔 것을 입에 넣어 되는대로 씹었다. 우물거리고 있는데 문득 발의 감각이 느껴졌다. 그러고 보면 방 안에서 이 사태를 겪은 참이라, 맨발이었다.

기절시킨 사내를 끌어안고 있던 청년은, 지친듯이 서서히 상체를 일으켰다. 그는 온몸이 쑤시는 기분이었다. 한숨을 내쉬듯이 긴장감을 풀어내며, 상대를 묶었던 재킷을 깔린 틈에서 빼냈다.

그는 재킷의 안주머니에서 수갑을 꺼내 들었다. 민서로서는 청년의 내력이 잘 짐작되지 않았지만, 그는 익숙한 듯 기절한 사내의 손목에 채워 놓고는 조였다. 찰칵, 드르륵.

그는 그러고 자리에서 일어섰다. 민서를 바라보며 말한다.

"…휘말리게 해서 미안하다는 말을 자주 하는군요. 일단 설명할 기회를 주겠습니까?"
"예…."

민서는 황망하게 고개를 끄덕거렸다. 갑작스러운 일이었으나, 대화의 용의는 있었다. 벌써 3번째 이런 일이 벌어졌다면, 다음에도 벌어지지 말라는 법이 없을 테니.

"영차."

청년은 그대로 바닥에 쓰러져 있는 사내의 뒷덜미를 잡고 일으켰다. 보기보다 힘이 굉장히 좋아 보였다. 말라 보이는 몸이었지만 특수하게 단련이라도 한 건지. 애초에 민서로서는 눈앞에서 상당한 수준의 격투를 보았으니 당연하다면 당연한 일이었지만.

그는 그대로 뒷덜미를 잡고 거추장스러운 짐 덩이를 끌듯이 대충 끌어 민서에게로 다가왔다. 민서도 일단 그에게 다가갔고.

"뭐… '횟수'가 얼마 남지 않아서 일단 동료들이 있는 곳으로 데려가야겠습니다. 너무 걱정은 하지 마세요."

가볍게 왼손을 내미는 청년에게 민서는 손을 마주 잡았다. 그리고 그다음 순간에 몇 번 경험한 것처럼, 화면이 꺼지듯이 시야가 암전되고 어질거리는 느낌이 느껴졌다.

웅.

순간이동은 몇 가지 미약한 흔적을 남긴다. 예민한 사람이라면 느낄 수 있는 아주 작은 소리나 떨림, 혹은 능력자들이 느끼는 미묘한 잔향과 특유의 느낌이 그것이었다. 말로 설명하기 어려운 발동 시의 감각. 능력자들은 시야의 사각死角에서 누군가 '도약'을 하면 보통 알아채고는 한다.

어딘지도 모를 서울 한 빌딩의 옥상에서 그렇게 세 남자가 사라졌다.

2.

민서는 눈을 뜨고 나서 당황했다. 어떤 장면이 펼쳐져도 쉽게 놀라지 않으리라 마음먹었지만, 실제 공간이 주는 이질적인 분위기는 생각과는 늘 다른 법이다.

도약 지점과 도착 지점에는 모두 '점프' 특유의 미세한 소리나 떨림이 느껴진다. 능력자들끼리는 더욱 확실하게 느낄 수 있었고. 민서 역시 같이 이동하면서 더욱 확실하게 인지할 수 있었다. 약간의 멀미 따위가 오는 듯도 하면서, 그는 어질거리는 머리를 짚으며 상황을 받아들였다.

검은 창고, 같은 곳이었다. 아주 흐릿한 윤곽만이 보이는 컴컴한 곳. 곧이어 청년의 말소리가 들려왔다.

"불 좀 켜줘."

달칵. 익숙한 스위치 소리가 들리며 앞이 밝아졌다. 민서는 잠깐 눈을 찡그리며 다시 주변을 둘러봤다. 자신의 옆에는 계속해서 보던 청년. 그 청년의 한쪽 손에는 기절한 사내. 그들이 있는 곳은 네모난 방이었다. 하얀 톤으로 칠해진 방 안. 그저 덩그러니 사각형의 공간 안에, 아까까지 빌딩 옥상에 있던 그들과 그들을 바라보는 한 사람이 있었다.

문 앞에서 그들을 바라보는 앳된 청년이었다. 20대 초반 정도나 되었을까 싶은 외모에 장난기마저 비치는 눈빛을 하고 이야기를 한다. 그가 불을 켠 모양이었다.

"스미스Smith. 빌어먹을 놈 하나를 잡아 왔는데. 구속 조치 좀 해주라. 잠깐 기절시켜놨고, 언제 깨어날지 몰라. 추정 횟수는 100-120회 정도. 대강 10-20번 남은 것 같은데. 팀으로 움직이는 놈들이니까 끝까지 털어봐야 돼."
"알겠어. 그래 보이네. 하나는 빌어먹을 놈이고, 하나는 뭐야?"

스미스, 라고 불린 한국인 청년이 물었다. 영화에서나 보듯한 코드 네임인지 뭔지는 모르겠지만, 아무리 봐도 한국인이었다. 민서는 평범한 학생이었다. 낯선 곳에서 알 도리 없는 이들과 만났을 때 쭈뼛대는 것도 자연스러운 일이었다. "어…."

할 말을 찾고 있을 때 청년이 답했다.

"저번에 말한 연속 뺑소니 피해자. 이번에 동시 도약을 했는데 한번 더 부딪혔어. 좌표 상에 대체 무슨 문제가 있는 건지 모르겠더군."
"그런… 일이 여태 있었나? 순간이동 능력에 대해 더 알 수 있을 지도 모르겠는데. 자연적인 조건 때문에 도약이 유도될 수 있다니."

"몰라. 낸들. 아무튼 이 놈 받아가고, 나는 민간인에게 설명을 좀 해줘야지."

스미스라고 불린 청년은 고개를 끄덕거렸다. 방 안의 구조는 단순했고, 하얀 철제문 옆에는 전등 스위치와 인터폰이 있었다. 그는 흔한 가정용의 인터폰처럼 생긴 것의 수화기를 들고 버튼을 꾹 눌렀다.

"소드마스터 복귀. 미친놈 하나 구속 조치. 10-20회. 민간인 하나 유입됐고, 소마가 직접 설명하고 보낸다고."

여러 조사助詞가 생략된 문장을 보고 읊듯이 빠르게 말한다. 그리고 스미스가 다가와 기절한 사내를 넘겨받았다. 아직도 정신을 못 차리고 축 늘어진 상태의 그를 청년이 그대로 일으켰다. 그대로 스미스가 뒤로 묶인 사내의 겨드랑이 사이로 어깨에 끼우듯이 자신의 팔을 넣어 지탱했다. 그들은 그를 험하게 다루는 듯하지만, 동시에 주의 사항을 지키듯이 한순간도 기절한 사내의 몸에서 손이 떨어지는 일이 없도록 조심스럽게 굴었다.

'읏차.' 숨을 뱉으며 건장한 사내를 넘겨받은 스미스가 청년, 소마에게 물었다.

"너 들어왔으니 오늘 당번은 끝인가? 전 인원 기지 내 있지?"
"…그걸 나한테 묻냐. 아마 그럴건데."

청년, 소마가 흘기듯이 보며 퉁명스럽게 답했다. 스미스는 히죽 웃으며 방문을 열고 나섰다. 건장한 사내를 지탱하고 있는 것 치고는 자연스러운 움직임이었다. 민서의 눈에도 상당한 체력을 지닌 것처럼 보였다. 옥상에서 보았던 싸움을 생각하면 저에게도 인상과 달리 함부로 굴어선 안 될지 몰랐다.

"애들한테 맡겨놓고 난 쉰다. 고생하고."

돌아보며 슬쩍 말을 남기고 스미스가 걸어갔다. 크게 절뚝이지도 않고 장정을 잘도 끌고 간다. 멀리서 사람들의 걸음 소리나, 스미스의 말소리가 들려왔다. 금방 '기지'라고 부른 이 곳에는 여러 사람이 있는 모양이었다.

민서는 급박한 상황 속에서 주도적으로 의견을 제시하는 존재는 아니었다. 그저 무정물처럼 입을 꾹 다물고 있는데, 청년이 과장스럽게 손을 툭툭 마주쳐 털며 말했다.

"이 쪽으로 오시죠. 얘기하기 편한 데 앉읍시다."
"ㅇ, 예."

그렇게 웃으면서 말하고는 성큼성큼 걷는 청년의 뒤를 따랐다. 청년은 시종일관 젠틀 했지만, 칼부림을 견뎌낸 장면이나 생소한 공간에 데려왔다는 사실에 왠지 모를 카리스마가 느껴졌다. 본능적인 위기의식일지도 몰랐다. 민서는 얌전히 굴었다.

방에서 나서자 지하 공간 같은 느낌이 났다. 지상 건물의 실내라면 조금 더 공기가 대류하며 바람이 느껴질 테였다. 아주 약간이라도. 숨이 막히는 건 아니었지만 이토록 정적이고 바람이 없는 폐쇄적인 분위기라면 어떤 건물의 지하일 확률이 높았다.

굳이 따지자면, 민서로서는 어딘가의 영화나 게임에서 본 지하 연구소의 복도 따위를 떠올려볼 수 있었다. 방과 마찬가지로 전체적으로 깔끔하고, 흰색 외에 포인트가 없는 실내였다. 병원이나 연구소처럼 보였고, 길다란 복도의 폐쇄감으로 보아서는 실내 벽도 굉장히 튼튼하고, 외부와 차단된 듯한 모습이었다.

청년은 뚜벅이며 거침없이 걸었다. 아주 익숙한 장소를 활보하는 듯한 모습이었다. 민서 역시 그 뒤를 빠르게 따랐고, 스미스가 사라진 방향과 반대로 복도를 걸어 주욱 이동하자 방이 하나 나왔다.

그들이 처음 도착했던 곳과는 달리, 외벽이 유리로 되어 있어 실내가 훤히 보이는 공간이었다. 별다른 잠금도 없는지, 청년이 여닫이 문을 밀고 들어간다.

유리 벽의 방안은 마찬가지로 많은 가구가 없었다. 단출하고 깔끔한 사각형의 공간이었고, 높은 테이블 하나와 비슷한 높이의 의자 몇 개. 재떨이와 페트병 음료나 과자 따위가 가지런히 있었다. 구석에는 작은 쓰레기통이 하나.

청년은 바Bar에서나 쓰일 법한 높이의 의자에 가볍게 걸터 앉으며 민서에게 손짓했다. 그는 자연스럽게 맞은 편에 앉았다.

그는 앉으면서 몹시 지친 표정으로, 몸을 웅크리며 힘을 풀었다. 계속해서 보고 있었고 크게 티는 내지 않았지만, 어쨌든 청년은 여기저기 옷이 베이고 찢어져 있었고, 흙먼지 따위에 더럽혀지고 머리도 헝클어진 상태였다. 민서가 본 것만 해도 격렬한 싸움이었으니, 그 전까지의 상황을 짐작해보면 거친 하루를 보냈을지 몰랐다.

민서가 의례 상 입을 열었다.

“괜찮습니까?”

청년, 스미스가 소마라고 불렀던 이가 헛웃음같은 미소를 지어보이며 답했다.

“괜찮지 않아 보입니까. 하긴 지독한 하루였습니다.”

허허. 민서는 마주 웃기도 뭐했다. 고생한 인간의 앞에서 쉽게 웃기도 미안한 일이었다.

잠깐의 정적 끝에 청년이 입을 열었다.

“일단… 앞서 이름부터 말해야죠. 저는 ‘홍인수’라고 합니다.”
“아, 예.”

청년은 높은 테이블에 놓인 탄산 음료 하나를 까면서 눈짓했다. 민서가 답했다.

“어, 저는 ‘김민서’라고 합니다.”

세 번의 만남 끝에 첫 통성명이었다. 청년, 홍인수가 말하곤 음료를 한 입 삼켰다.

“반갑습니다, 민서 씨. 크. 목마르시면 편하게 드세요.”

코카콜라나, 삼다수나, 초록 매실이 있었다. 민서는 매실 음료를 집어 들며 상대를 바라봤다. 현재 상황에서 그가 할 수 있는 말은 많지 않았다. 모든 정보는 저 쪽이 쥐고 있었으니.

그러고 보면 문득, 생각 나기를 자신은 밥을 먹다가 이 곳까지 끌려 왔었다. 마지막으로 우물거린 떡갈비 탓인지, 긴장 탓인지 마침 목이 마르기도 했다.

매실음료를 우물대며 삼킬 때 홍인수가 말한다.

“…이런 경우가 많지 않아서, 설명이 좀 어려워도 양해 바랍니다. 저번에 제가 어디까지 이야기를 했었죠?”
“이야기라면….”

홍인수가 혼자 묻고는 고개를 끄덕이며 말했다.

“저희 같은 사람이 ‘조직’으로 있다는 것만 얘기한 거 같네요. 뭐 우선….”

홍인수는 잘 생긴 청년이었다. 눈빛이 날카롭고, 잘 보인다. 눈이 크다는 이야기였다. 그는 연극 배우처럼 표정이 크고 분명하다. 이야기의 호흡을 신경 쓰는 걸 보면 그런 부류의 일을 해봤는 지도 모른다.

“저는 순간이동 능력자입니다. 아까 봤죠?”

3.

봤죠, 라는 말에 민서는 어색하게 고개를 끄덕일 수밖에 없었다. 봤는데, 어쩌겠는가. 그것도 한두 번이 아니라 지겹도록 목격을 했는데. 그것이 가능한가의 논의는 제쳐두고, 벌어진 일에 대해 어떻게 대처해야 하는가, 가 주요한 고민거리였다.

"보통 우리는 순간이동 능력자를, '점퍼Jumper'라는 이름으로 부릅니다. 영어를 할 줄 안다면, 직관적인 이름이죠?"

'심지어 같은 이름의 영화나 소설도 있습니다.'라는 말을 하며 홍인수는 탄산음료를 마셨다. 크, 술을 마시듯이 넘기고는 설명을 이어갔다.

"점퍼라는 건 도약을 하는 사람을 말합니다. 봤듯이, 그건 공간 도약이고요. 우리는 손가락을 한 번 튕길 정도의 시간만 있으면, 언제든지 다른 곳으로 움직일 수 있습니다."

딱. 그는 익숙하게 엄지와 중지를 마찰시키며 튕겼다. 소리와 함께 집중하고 있던 민서의 시야에서 홍인수가 사라졌다. 웅, 하는 그 특유의 전조 현상, 흔적은 여전했다. 그런 효과마저 없었다면 패닉에 빠질만큼 놀라운 현상이었다. 코 앞에서 세계적인 마술사의 마술 쇼를 보는 것처럼 느껴진다.

안타까운 점은, 민서는 마술을 보기 위해 돈을 지불한 적도 없고, 이 양반들도 마술사는 아닌 것처럼 보인다는 점이었다. 실제로 그가 직접 공간 도약을 경험하기도 했고.

"보통 이렇게 상대의 뒤를 잡는 식으로 많이 사용합니다."

홍인수의 목소리는 뒤에서 들려왔다. 그세, 많이 겪어 본 일이었다. 확실히 민서와 같이 이동을 할 때 그는 이렇게 뒤에서 말을 한다.

사라질 때와 달리 천천히 걸어서 홍인수가 다시 의자에 앉았다. 그의 얼굴은 피곤해 보인다.

"하루에 보통 1명의 점퍼가 사용할 수 있는 도약의 한계는 수십에서 1~2백 정도입니다. 간혹 특출난 인물들은 월등한 횟수를 자랑하지만, 그건 규격 외의 이야기고…."

"…당신은 이해하기 힘들겠지만. 뭐 우리도 어려운 건 마찬가지입니다. 선천적으로 세계에서 '점퍼'들이 드물게 태어나고 있습니다. 최초의 점퍼가 언제인지는 알 수 없지만, 기록상에서 우리가 파악하는 건 근대화 무렵이죠. 격변하는 세계사 속에서 어떤 흐름이 변화를 만들어낸 건진 모르지만. 혹은 그냥 우리가 알지 못할 뿐, 고대부터 있어 왔는지도 모릅니다."

"대부분의 점퍼는 자신의 능력을 사춘기 이후에 깨닫습니다. 자아가 성장하고, 머리가 크고, 정신력이 고조될 때에 우연히 능력을 발현시키면서 자신의 특이성을 알게 되죠. 우리는 세계 각지에 분포되어 있고… 능력을 이용해 다양한 일을 합니다. 일반적인 현대기술이나, 일반적인 몸으로 감당할 수 없는 특이한 문제들을 해결하는데 사용하고 있죠."

"특이한 일이라면…."

민서가 말을 잘라먹고 물었다. 이들이 하는 일이 곧 이들의 정체성이었다. 그래 보이지는 않았지만, 손도 못 쓸 범죄 조직일 가능성도 있었다.

“공간의 한계가 없다면 다양한 일이 가능합니다. 점프Jump는 정확한 3차원 데이터만 있다면 1cm의 오차도 없이 이동이 가능하고요. 조난 사건의 구조, 대테러 부대의 요청에 따른 인질 구출, 험지에서의 건설 현장에서 도움을 줄 때도 있고.”
“…그러면 당신들 같은 사람이 활동 하는 걸 이 사회의 많은 이들이 아는 겁니까?”

홍인수가 웃으며 말했다.

“저번에 말씀 드렸죠. 우리는 당신이 이해 못할 뿐, 그저 비밀스러운 전문직 종사자들이라고. 사회의 일각에서 우리가 일하는 곳에서는 많은 이들과 협업을 합니다. 우리 조직은 오래되었고, 많은 이들의 지지와 이해, 협력 속에서 일구어졌죠. 이해하기 어렵다면 재벌가에서 일하는 비밀 경호 요원 따위로 생각해도 간단합니다. 저희가 어디에 소속되어 있지는 않지만요.”

’조직‘에 대한 설명이었다. 그러나 그러고도 의문은 남는다. 민서는 망설이지 않고 물었다.

“그러면 아까 그… 칼 든 미친놈은 뭡니까.”

홍인수는 웃음을 잃지 않았지만, 눈빛에 피로감이 감돌았다.

“점퍼는 자연발생적입니다. 우리가 정보망을 갖고, 발견하는 즉시 회유하지만 모든 이들이 저희의 통제에 따르지는 않습니다. 어디에나 미친놈이 있듯이, 점퍼 중에도 미친놈이 있을 뿐이죠. 그놈들은 자기가 가진 특별한 능력이 신이 허락한 권력이라고 착각을 해요. 반사회적 싸이코 놈들."

"…싸이코 같긴 하더군요."

민서는 칼 든 미친놈의 얼굴을 떠올려보았다. 인상이 날카로웠고, 날이 선 나이프를 든 채 호방하게 웃고 있었다. 전근대 사회의 전쟁터라면 장군의 얼굴이었겠지만, 현대 사회에서는 살인 미수범의 모습이었다.

"우리도 뭐… 재판장에 가서 합법적인 일만 해왔다고 할 수는 없습니다. 그러나 규율이 있죠. 서로 간의 신뢰도 있고. 조직 외의 다른 이들과의 관계도 있습니다. 어쨌든… '점퍼'는 헐리우드 영화 속에 나오는 특별한 초인들은 아닙니다. 단지, 이상한 능력을 어떻게 다루어야 할까 고민하고 있는 사회의 구성원일 뿐이에요."

"고민이라…."

민서는 긴 얘기를 들으며 고개를 끄덕거렸다. 주억거리며 주워 마신 매실 음료도 500ml에 반은 먹은 듯 했다.

홍인수는 툭툭, 손끝으로 습관인 듯 테이블을 두드리며 말했다. 문득 아래를 향했던 민서의 시선이 그를 바랐다. 그가 말했다.

"어쨌든… 저희로서는 감추어야 하는 모습을 지나치게 당신에게 많이 보인 건 사실입니다. 사고였지만, 조직으로서 사과하는 바입니다. 당신의 삶을 무너뜨려서 미안합니다."

그 말에 민서는 잠시 뜸을 들이며 곱씹었다. 이렇게 멀쩡한 사과를 받을 줄은 몰랐던 탓이다. 그는 고개를 끄덕거리며 답했다.

"…뭐. 괜찮습니다. 들어보니 일부러 그런 것도 아닌데."

민서의 말에 홍인수가 시원한 미소를 보였다. 그리고 민서가 이어서 물었다.

"그래서, 이야기의 결론은 뭡니까? 저번처럼 제가 다 잊으면 되는 겁니까?"

홍인수가 고개를 저었다. 자못 심각한 표정이었다. 표정의 변화가 다양한 청년이었다.

"당신의 방에 뭐가 작용하는 지 모르겠습니다. 두 번 까지도 일시적이라고 봤는데, 이번에 그런 걸 보면… 도약에 대한 유도 효과가 당신 방에 있는 것 같습니다. 저번 사고 이후에 신경을 줄곧 써왔는데… 이번에 동시에 점프하면서 또 그리로 간 걸 보면 부주의한 점퍼들이 또 들이닥칠 지 모릅니다."
"그 말은…."

홍인수가 말했다.

"일단 이 사회의 점퍼에 대한 인지를 하고, 간단한 대응법을 익히십시오. 그리고 권유하건데, 저희가 비용을 지불할테니 거처는 비슷한 다른 곳으로 옮기는게 좋을 겁니다. 저희로서도 원하지 않지만 반복되는 현상에 이유가 있게 마련이고… 우리는 그걸 파악해야 합니다."

민서는 코 끝을 찡그렸다.

"대응법은 뭡니까. 이사를 해야 한다고요?"

사실 이사 정도는 그로서도 생각했던 일이다. 대응법에 관한 일은 짐작이 잘 가지 않았고. 조직 내에서 뭔가를 해야 한다는 말인가. '그나저나 비용을 지불한다니… 계약이 남아 있는데, 집 주인 아저씨에게는 뭐라고 말한담…'까지 생각했을 때 홍인수가 마저 말했다.

"전에 살던 원룸보다는 좋은 곳으로 맞춰드리죠. 월세의 추가분은 계약 기간만큼 전액을 지불할 거고요. 뭐… 엉뚱하게 말려든 민간인에게 이 정도 해줄 정도로는 돈이 있습니다. 그리고 대응법은…"

그는 잠시 뜸을 들이며 문장을 끝냈다.

"간단한 군사 훈련 정도라고 보면 됩니다. 예비군 훈련, 가봤습니까?"

민서는 떨떠름하게 고개를 저었다.

"아직 군대도 안 갔다온…"

말을 마치기도 전에 홍인수가 고개를 끄덕거렸다.

"뭐 미리 체험한다고 생각하십시오. 다양한 경험은 인생의 자양

분이 될 겁니다. 당신의 안전을 위해서도 좋을 거고요."

홍인수가 웃었다.

"기지 내에 편한 방이 많이 있습니다. 다른 일정이 없으면 온 김에 한 번 들으시고, 다음 시간을 잡죠. 저희도 최소한의 도리는 해야 마음이 편하지 않겠습니까."

민서는 갑작스러운 이야기에 인상을 찡그리면서, 아르바이트 시간을 생각하며 답했다.

"…일단 지금은 아르바이트 다녀오고 주말부터 해도 되겠습니까."

그는, 이른 점심을 먹다가, 갑작스럽게 괴한의 침입을 받아서, 비밀 조직의 지하 기지에 끌려온 상태였다. 원래대로라면 떡갈비 도시락을 마저 먹고 점심 즈음부터 시작되는 편의점 아르바이트를 하러 갈 계획이었고.

꼴이 말이 아니었고, 손목 시계를 확인하자 아르바이트 시간 직전이었지만 다행히도 눈앞엔 말도 안 되는 능력자가 있었다. 홍인수가 대중교통의 정체 따위는 단번에 해결할 수 있는 특급 택시로 보였다.

"……."

시원스런 미소가 인상적인 미청년, 홍인수는 말없이 민서를 처다보다 고개를 끄덕거렸다. 그럴 수 있었다. 갑작스러운 상황 탓에 까먹기 쉬웠지만 일상을 지키는 성실함은 위대한 습관이었다.

"…정확한 위치를 알려주면 바로 갈 수 있습니다."

그 말에 민서가 잠시 고민하다가 답했다.

"혹시 두 번 이동해도 됩니까? 지금 누구 때문에 밥 먹다 끌려 나와서 지갑도 뭣도 없고, 심지어 맨 발입니다. 집에 좀 들르고 싶은데."

"……."

홍인수는 말없이 고개를 끄덕거렸다.

"아, 주소 알려줘야 합니까?"
"아뇨 당신 집 위치는 이미 좌표 파악해서 필요 없습니다…."

여유를 가장한 채 여러 정보를 알려주려 했었지만, 실제로 홍인수는 고된 하루에 지쳐 있었다. 그는 피곤하다는 듯 이마를 짚으며 천천히 일어섰다. 다가오는 그를 보며 민서는 매실 음료를 테이블에 내려 놓았다.

툭.

곁에서 어깨에 손을 짚은 홍인수가 눈을 감고 한 순간 집중하는 표정을 지었다. 그리고…

웅.

민서는 이제는 익숙해질 지도 모르겠는 감각을 느끼며 시야가 어두워졌다가,

웅.

엉망이 되버린 원룸을 바라보며 시야를 되찾았다.

"……."

순간이동은 순간이동이었고, 난장판이 된 집에서 말없이 민서는 지갑과 핸드폰을 찾았다. 특히 박살이 난 신발장에 가 신발을 신을 때는 살짝 짜증이 났지만, 티를 내지는 않았다. 신발을 신고 그는 홍인수를 슬쩍 바라보았다.

그는 그 눈짓에 저벅거리며 다가와 다시 어깨에 손을 얹는다. 그러고 보면, 시종일관 홍인수는 민서의 원룸 바닥에서 신발을 신고 있었다. "……."

뭐라고 말하기엔 꼴이 말이 아닌 사람이라, 일단은 넘어갔다. 다시 만난다면 청소비를 요구하리라 생각하기는 했고,

턱.

홍인수가 그의 어깨에 손을 짚음과 동시에 시야가 암전 되었다.

***

"차-렷!"

조직은 군례軍禮를 따르는 모양이다…

라는 사실을 민서는 아무런 준비 없이 몸으로 깨달아야 했다.

단상 위에서 쩌렁쩌렁하게 소리를 외치는 사내가 있었다. 짧게 깎은 스포츠 머리에, 가본 적은 없지만 육군 훈련소 조교들이 쓸법한 모자를 눌러 쓴 장정이었다. 눈빛이나 인상은 챙에 가려 잘 보이지 않았지만, 단정하게 입은 정복正服(규정에 따라 입는 예복따위)이나 허투루 움직이지 않는 동작의 절도에서 성격은 짐작되었다.

하얀 방 안.

민서는 '조직'의 기지 안이었다. 종래에 보던 하얀 방과는 달리, 꽤나 넓이가 큰 방이었고, 실내에 있기 흔치 않은 규모의 공간이었다. 강당이나 파티룸이 연상되는 크기였고, 어느 정도 이상의 인원들이 활동적인 레크리에이션도 할 수 있을 법했다.

취향인지 뭔지 모를 하얀 톤의 방 안에, 전등불이 시야를 밝히고 있었고, 마찬가지로 흰색의 단상이 하나 덩그러니 있었다. 그 위에서 검은 모자를 쓴 사내가 굵직한 목소리로 민서에게 외친 것이었다. '차-렷!' 하고.

민서는 일단 그대로 상식에 맞추어 따랐다. 단상 아래, 방 안에는 그뿐이었다. 이름도 모르는 군대식의 양반이랑 단둘이서 보내야 하는 몇 시간이었다. 좋은 주말이었다. 민서는 잠깐 꿈인가, 라는 생각을 스쳐가듯 했다가 지웠다. 꿈이라기엔 지독하고 현실적이었다. 꿈이었다면, 근래 겪었던 '순간이동'이라는 현상까지 다 허상이어야 했다.

그러나 몇 시간 전, 시간에 맞춰 등장한 예의 청년, 홍인수의 손길에 따라 다시 경험한 '순간이동'은 꿈도 환상도 아니었다. 그러므로 눈 앞의 이 광경도 현실이었고.

"차, 차렷."

누가 시킨 것도 아닌데 일단 어정쩡하게 따라 해보았다. 그는 구령을 복창하며 상식 속의 차렷 동작을 행했다. 군대는 아직 안 갔지만, 간단한 것들은 알 수 있는 법이다.

단상 위의 사내가 민서가 하는 양을 보다가 큰 소리로 말했다.

"좋습니다, 교육생! 오늘은 본 교관이 어떤 걸 알려줄 지 혹시 알고 있습니까!"
"……."

민서는 그 텐션에 맞춰주기 싫다, 라는 생각을 맹렬히 하면서도, 어색함을 이기지 못하고 말을 뱉었다.

"모, 모릅니다!"

일단 자신보다 연상인 것은 확실했다. 인상은 잘 보이지 않았지만, 하관을 보거나 목소리만 들어도 30대 보다는 윗줄인 듯했다. 민서의 나이는 23이었다.

"모른다고 하지 말고 한 번 생각해 보십시오! 무엇이겠습니까!"
"……."

그 말에 민서는 고민했다. 뭘…. 그는 홍인수가 보내는 대로, 이 어딘지도 모르는 지하 기지에 도착해서 인도에 따라 걸어 들어왔다가, 이런 상황에 처한 것 뿐이었다. 아침은 든든하게 먹었고, 시간은 오전 10시였다. 일단은 알고 있는 걸 뱉어 보았다.

"…저, 점퍼에 대한 대응책을 배운다고 했습니다!"

짝짝짝.

모자를 눌러 쓴 교관은 소리나게 박수를 쳤다. 절도 있는 박수 소리였다.

"잘 말했습니다! 오늘 교육은 '대 점퍼 전투법'의 기초입니다!"
"……감사합니다!"

한참이나 텀을 두고 민서가 대답했다. 잘은 모르지만, 왜인지 대답을 해야 할 것 같은 상대의 열정이었다.

"오늘 교육생은 열의가 있어 보여 좋습니다! 끝날 때까지 유지해주기 바랍니다!"
"예, 옙."

교관은 고개를 끄덕이며 말했다. 별다른 것도 없이 말만으로 이루어지는 교육인가, 싶었다.

딱.

그런 찰나에 흔히 마술쇼 따위에서 듣는 손가락 튕기는 소리가 들렸다. 그리고 경직된 채 서 있던 민서는 교관의 모습이 사라진 걸 인지했다. 바로 다음 순간에 뒤에서 말소리가 들렸다.

"김민서 교육생!"
"예, 억?"

이미 순간이동이라는, 말도 안되는 현상을 많이 겪은 그였지만 체감적으로 적응하기에는 무리가 있었다. 이해나 상리를 뛰어넘은 현상이었다. 눈 앞에 있던 교관도 점퍼였다.

민서는 당황한 듯 헛소리를 뱉었다. 턱. 익숙한 동작이 느껴졌다. 굳은살이 배긴 두터운 손아귀가 그의 왼쪽 어깨를 짚었다.

"…."

그는 다음 순간 어딘가로 이동할 것을 짐작했다. 이들의 손에 닿으면 항상 생기던 일이었다. 갑작스런 순간 이동에 대비하고 어지럼증을 참으려 눈을 감았다. 그러나 아무런 일도 생기지 않았다. "……." 민서는 그제야 슬그머니 뒤를 돌아보았다. 교관, 모자의 챙 아래로 날카로운 눈빛으로 씩 웃어 보이는 사내가 있었다.

"보통 이런 식으로 점프에 끌려가는 경우가 많이 있지. 자네가 먼저 해야할 건, 이런 일에 대비하는 거라네."

연기였나, 싶을 정도로 다소 자연스러운 말투로 돌아왔다. 민서는 식은땀을 흘리며 고개를 끄덕였다.

"…그렇습니까."

알려주시죠, 라는 눈빛으로 그를 처다 보았다. 민서는 마땅히 질문해야할 바도 알 수 없었고, 그저 정보를 받아들일 뿐이었다. 그는 그를 둘러싼 지금의 모든 상황에 대체로 무지했다.

교관이 말했다.

"우선 점퍼들이 사용하는 도약은 세 가지로 사용된다네. 짐작할 수 있겠나?"

민서는 훌륭한 교육생의 신분을 지키기 위해서, 짧은 머리를 한 번 굴려보았다.

"어… 혼자 이동하는 것과 같이 이동하는 겁니까?"

꾹. 교관이 어깨에 얹은 손에 힘이 들어갔다. 그가 말했다.

"그렇지! 그 두 가지가 있고 나머지 하나는 뭘까."
"…모르겠습니다."

교관은 어깨에서 손을 떼어 그 두터운 손바닥으로 퍽퍽, 두드리면서 말했다.

"그럴 수 있네. '재밍Jamming'이라고 한다네."
"재밍이요?"

라디오 재밍, 전파 재밍 할 때의 그건가. 순간이동이 어떤 에너지나 매질을 사용하는 것이고, 그것이 차단이나 방해가 가능하다면 그럴싸한 이야기였다. 민서는 순간이동에 대해서는 잘 알지 못하지만, 도약의 방해를 상상했다.

"그렇지. 직관적인 이름들이야. 첫 번째는 단순한 도약. 정신적인 집중과 목표지에 대한 데이터만 있다면 혼자서 순식간에 할 수 있다네. 두 번째는 단체 도약. 점퍼의 손에 닿은 사람은, 점퍼의 의지에 따라서 같이 도약할 수 있다네. 이건 상대의 능력의 유무와 관계없이 점퍼의 능력에 의지하지. 사람의 손이 두 개인 관계로, 최대 두 명까지 데리고 도약할 수 있다네."

민서는 그를 처다봤다. '그럼 세번째는 뭡니까.'란 눈빛으로.

"재밍을 도약의 일종으로 말하는 이유는, 엄연히 점퍼가 가지는 도약 횟수를 소모하기 때문이야."
"횟수요?"

횟수라고 한다면, 설명에 자주 등장하는 말이었다. 그들이 사용하는 도약은 정해진 횟수가 있고, 그건 하루에 몇 회 정도가 한계인 듯하다. 자정을 기준으로 초기화 되는 모양이다.

"그렇지. 선천적으로 점퍼는 도약 능력을 타고나고, 그건 자정을 기준으로 매일 정해진 횟수 안에서 사용 가능하네. 사람마다 다른

데, 적게는 10회에서 많게는 200회 까지도 가능하지. 아무튼, 자네가 배워야할 건 이 '재밍'이야."
"재밍이라니… 저는 일반인입니다."

교관은 고개를 끄덕거렸다.

"물론 자네는 점퍼가 아니지만, 재밍과 비슷한 건 할 수 있네. 점퍼는 점퍼의 몸에 손을 대고, 상대의 도약을 저지할 수 있지. 자신의 도약 횟수를 1회 소모함으로. 이 때 상대의 도약 횟수도 소모된다네. 그럼 일반인이 할 수 있는 건 뭐겠는가."
"……."

민서는 말없이 그를 처다봤다.

"모르겠는 모양이군. 정확히 말하면 '단체 도약'의 거절이네.

점퍼는 일반인에게 손을 대고 단체 도약을 할 수 있지. 기본적으로 거절하지 않는다면 승락으로 취급되어, 점퍼의 도약에 이끌려 목적지까지 따라가게 되지. 그러나 마치 점퍼가 정신력으로 도약을 사용하듯이, 그 타이밍에 맞추어서 명확한 거절 의사를 떠올리면 자네는 단체 도약에 휩쓸리는 걸 거부할 수 있어. 물론 재밍은 아니기에 점퍼 개인의 점프에는 영향을 미칠 수 없지만."

'호오.'

민서는 눈을 크게 떴다. 대 점퍼 전투법이니, 점퍼에 대한 대비책이니 하던 것들은 민서로서도 유용한 내용이었다.

"점퍼들이 자신의 능력을 훈련하듯이, 다소의 요령과 반복이 필요하다네. 점프할 때의 미세한 기운이나 전조는 일반인도 감각을 집중하면 충분히 느낄 수 있어. 그 때에 맞추어서 명확한 문장, 혹은 이미지로 상상하면 된다네. 상대의 행동을 권유라고 보았을 때, 그에 대한 거절을 말이지."

"거절이라……."

"자네에게 손을 댄 점퍼를 인식하고, 도약을 상상하게. 그리고 그 도약에 휩쓸리지 않겠노라고, 명확한 거절 의사를 떠올리면 자네는 도약에 참여하지 않게 되네. 일단 이것만으로도 테러나 묻지마 범죄에 당하듯 골로 가는 건 피할 수 있지."

골로 간다, 는 건 사실이었다. 이런 방법이 확립되지 않았을 당시에, 일반인들은 점퍼 중 범죄자들의 악의에 손쉽게 노출되었었다. 그저 몸에 손을 대고, 의지할 것 없는 상공에 점프한 뒤 자신만 지상으로 돌아온다면 아무 저항도 하지 못하고 그대로 목숨을 잃는 것이다. 어떤 무기나, 튼튼한 갑옷을 입었든지 그저 몸에 손을 얹는 것 하나만으로.

'그럼 한 번 해볼까.'라며, 교관은 어느새 내렸던 손을 다시 민서의 어깨에 얹었다. 툭, 하고 무거운 무게감이 느껴졌다. 교관이 말했다.

"그러고 보니 내 소개가 늦었군. 내 이름은 '김만철'이네. 그 외에 기지 내에서 '코치Coach'라고 한다면 나를 부르는 거고. 자네는 소드 마스터가 데려 왔다면서?"

그러고 보니, 말도 안되는 영어 단어가 들린 것 같았다. 경황이 없어 넘어갔지만 민서는 차분히 물었다.

"그러고 보니, 소드 마스터는 뭡니까? 코드 네임 같은 겁니까?"
"아, 웃기게 들리나 보지? 그렇다고 하더군. 어린애들은. 만화나 소설에 나오는 모양이야. 하지만 우리 기지에서 만화같은 일을 주로 하는 녀석이라 어울리는 이름이야. 코드 네임 맞네."
"만화같은 일이요."
"음…."

코치, 김만철은 잠시 뜸을 들이더니 답했다.

"일단 일대일로 그 녀석을 이길 수 있는 점퍼는 거의 없다고 봐도 좋아. 점퍼 간의 전투나, 외부인의 회유에는 거의 그 녀석이 투입되는 편이지. 점퍼로서도 그렇고, 그냥 인간으로서도 더럽게 강하네. 전에 비슷한 체급의 프로 복서랑 스파링을 해서 이기는 걸 봤지."
"아…."

반쯤은, 농담과 존경을 섞어 부르는 이름인 모양이었다. 그리고 그 말에서, 이 '조직'내의 모든 인물들이 홍인수처럼 싸우는 건 아니라는 걸 알 수 있었다.
민서의 반응을 보던 만철이 말했다.

"뭐… 그 만큼은 아니더라도 웬만해서는 대인 전투가 다들 가능하니까 누굴 놀리고 할 생각은 접는 게 좋아. 도약 능력이 없더라도 다들 자네 정도는 15초면 못 움직이게 만들 수 있을테니까."
"아……."

민서는 굳이 많은 말을 하지는 않았다. 잠깐 그런 생각이 든 것도 사실이다. 민서는 굳이 따지자면, 극한의 스트레스 상황에서 급발진을 해서 사고를 치고는 하는 성격이었다. 지나가다 기지 내의 인원들에게 갑자기 다가갔을 지도 모른다. 확실히.

"아무튼 계속하지. 이 소리를 들으면 조심하는 게 좋아."

딱.

다들 손재주도 좋은지, 손가락 튕기기를 선명하게 잘 해냈다. 민서는 저걸 못 한다.

그와 동시에, 민서는 시야가 암전되는 걸 느꼈다. 눈 앞이 어두워진다. 정전이 되는 것과도 비슷했다. 코드가 끊어진 TV가 꺼지듯이.

그리고 체감상 순식간. 눈을 한 번 감았다 뜨는 것보다 더 짧은 시간을 두고 다시 시야가 밝아졌다. 그는 네모난 방의 외곽, 아래에서 방의 내부를 바라보고 있었다. 다음 순간 그가 눈을 뜬 곳은 처음 코치가 그를 내려다봤던 단상 위였다. 성인 남성의 키보다 조금 낮은 높이로, 단상의 뒤로 계단이 있었고 하얀 색으로 페인트가 칠해진 구조물이었다. 그는 코치가 바라보았을 시야를 눈에 담았다.

"……."

몇 번을 당해도 익숙해지지 않았다. 약간의 어지럼증도 있다. 민서는 눈살을 찌푸리며 입을 열었다.

"그러니까… 이걸 거부할 수 있다는 겁니까?"

김만철이 여전히 뒤에 선 채로 답했다.

"그렇지. 일단 이게 기본이라네. 능력을 사용해서 상대를 가장 쉽게 죽이는 방법 중 하나이니, 대처하지 못한다면 목숨은 없는 거라고 봐도 돼. 손이 몸에 닿기만 해도 죽는다고 하면 대항이 성립이나 되겠나?"

민서가 고개를 끄덕였다.

"그런데 거절… 이라고 하셔봤자 너무 막연한데요. 구체적으로 뭘 어떻게 하라는 겁니까?"

김만철이 어깨를 툭툭 가볍게 두드리며 말했다.

"여러 번의 순간이동을 겪어봤으니, 자네가 예민한 편이라면 벌써 잘 알겠지. 도약의 전후로는 기이한 '에너지'의 흔적이 남는다네. 일반인들도 미약한 공기의 진동이나 소리, 피부에 와닿는 이질적인 느낌으로 알 수 있어."
"그건… 그렇습니다."

민서는 자신이 예민한 편이라고는 생각하지 않았지만, 확실히 도약의 기척은 잘 느끼고 있는 편이었다. 눈 앞에서 벌어진 여러 번의 점프와 자신이 직접 겪은 단체 도약을 통해서. 일상적이고 상식적인 삶과 구분되는 기이한 감각이었다.

"그러면 그 미상의 '에너지'의 움직임으로 자네는 도약의 타이밍을 대충 알 수 있게 되네. 도약을 하는 중간 과정에 대해서는 느낄 수 있나?"
"아뇨 전혀…."

민서는 고개를 저었다. 그가 도약에 참여하는 과정은 기이한 느낌이 일고, 순식간에 시야가 어두워졌다 다시 밝아지는 것을 느끼는 일 뿐이다. 그가 무언가 더 알아차릴 만한 건 없었고 할 수 있는 일도 없었다.

"자네는 보이지 않겠지만… 도약을 하는 점퍼는 강렬한 이미지나 좌표 데이터로 도착지를 계산하지. 점퍼로서의 능력을 오래 사용한 사람은 환상을 본다고도 해. 눈 앞에 가시적인 화면 따위가 보이면서, 정확한 도약을 완수하기 위한 계산식 따위가 떠오른다고. 그리고 미상의 과정을 통해 도착지에 도달하는 순간까지는 점퍼 역시 무감각한 순간이라네. 아주 짧은 순간, 퓨즈가 끊어진듯이 감각을 잃었다가 다시 찾지. 익숙하지 않은 사람들은 공포감을 느끼고 트라우마가 생기기도 해."

공포나 트라우마라, 그 말을 들으면서 민서는 상상했다. 확실히 자신은 시야에 집중했지만… 몸의 감각 전체가 사라지는 느낌이었던 듯도 하다. 정신적인 공포가 생긴다고 한다면, 확실히 깊은 트라우마가 될 수도 있는 기이한 경험이었다. 아주 깊은 물에 잠수한다거나, 순간적으로 전신 마취를 하는 것처럼 보이기도 한다. 점퍼들은 현대 과학적으로, 상식적으로 설명될 수 없는 불확실한 현상을 몸으로 겪는 것이다. 그것은 큰 능력이고, 이 현대 사회에서 누구도 따라할 수 없는 유용한 특기이기도 하지만 누구도 정확하게 전모를 알 수 없는 무언가였다.

교관이 입을 열었다.

"자네는 둔한 편인지, 별로 위화감이 없는 쪽이로군. 아무튼 그 감각이 끊어지는 정확한 타이밍이 도약이 시작되는 지점이라네. 그 지점에 맞추어서 강렬하게 이미지하도록 해. '거절, 거부'에 대한 의사를 문장화해서 생각해도 좋네. '점프'는 정신에 크게 관여하는 에너지이자 현상이라네. 눈에 보이지 않지만 전파는 우리 생활에 많은 부분 관여를 하면서 익숙하게 사용되고, 실제적인 데이터를 옮기기도 하지. 자네가 아직 알지 못하는 종류의 그런 작용이라고 생각을 해. 단순하게 본다면, 다른 외부 장치 없이 뇌와 뇌, 정신과 정신 간의 데이터가 상호 작용하는 현상이라고 상상을 해도 좋네."

그는 긴 말을 하느라 잠시 침을 삼키곤 다시 이야기했다.

"상대의 뇌파와 정신, 도약을 형성하는 미상의 에너지가 자네에게 영향을 미친다면, 자네의 정신과 생각 또한 상대에게 영향을 미치는 걸세. 일반적으로는 그럴 일이 없겠지만, '점프'라는 불가사의한 현상이 작용하는 순간에 보이지 않는 컴퓨터나 와이파이가 점퍼와 자네 사이에 있다고 치세. 그 순간에 자네의 뇌는 현실적으로 영향을 미칠 수 있는 입력 장치가 되는 거야. 점퍼가 아니기에 추가적인 물리 현상을 만들 수는 없지만, 일어나려는 현상을 저지할 수는 있지."

긴 설명에 민서는 고개를 끄덕거렸다. 이해하기 어려운 말은 아니었다. 현대인에게 눈에 보이지 않는 전파에 대한 인식은 비교적 익숙한 이야기다. '대충… 최첨단 기계로 뇌와 뇌 사이에 와이파이나 블루투스가 연결되어 있다고 생각하면 된다는 거지.'하고, 민서는 적당히 납득했다.

"점퍼들이 정신력을 사용하는 요령을 알려주지. 단순하네. 보다 직설적이고, 자극적이며, 선명하게 상상을 해낼 수록 강한 도약 능력을 가진 점퍼라네. 불분명한 상상은, 입력 장치인 키보드를 대충 힘주어 누르는 거라고 생각하게. 확실하게 버튼 하나하나를 꾹 눌러서, 제대로 타자가 입력되는지 확인해야 하지."

"확실한 상상이라…"

"어렵게 생각할 필욘 없어. 자네가 느끼기에 선명하면 되니까. 가장 좋아하는 음식이나, 인상적이었던 기억의 감각을 떠올려 본다거나…하는 요령이지. 굳이 따지자면 1개를 상상하는 것보다 100개를 상상하는게 더 확실하겠지. '나는 이 현상을 거절한다.'라는 문장을 머릿속에서 짧고 강하게, 수십 번 반복해서 되뇌어도 좋네."

교관의 말대로 어렵게 생각할 필요 없는 부분이었다. 평상시에, 화장실을 찾을 수 없는 대중 교통 속에서 강렬한 복통이 느껴질 때 하나님을 찾듯이 간절하게 되뇌면 된다는 것 아닌가.

"설명을 듣고 바로 할 수 있겠나?"

김만철이 물었다. 민서는 고개를 끄덕였다. 그가 고개를 끄덕이지 않았더라도, 물론 김만철은 반복해서 훈련을 시킬 셈이었다.

"점퍼에게 하루에 주어지는 도약의 횟수는 중요한 자산이고, 전투가 끼어 있다면 목숨처럼 카운팅을 해야 하는 숫자이기도 하지. 자네를 위해서 사용하는 코치로서의 내 도약이 헛되이 줄어들지 않기를 바라겠네."

김만철의 말에는 묘한 분위기가 실려 있었다. 옥상에서 그가 목격한 홍인수와 미친 사내의 일전을 떠올려보면, 그가 겪어야 했던 많은 피투성이의 나날들에 대한 소회가 담겨 있을 지도 모른다. 뭐, 민서로서는 사실 전혀 본 바도 없고 알 수 없는 것이지만. 이 단체의 분위기가 군대를 닮은 면이 있다는 걸 생각해보면. 전투나 전쟁의 나날들에 대해 연상을 하는 건 자연스럽다.

"처음에는 감을 잡도록 타이밍에 신호를 주지. 어깨를 이렇게 세 번 째 두드릴 때라네."

툭툭 하고 그는 어깨를 쳐 보이며 말했다. 민서가 앞을 보며 고개를 끄덕이자 살짝 손을 뗐다가, 다시 두드린다. 툭, 툭.

그리고 두 번째로 어깨에 손이 닿았을 때 기묘한 감각이 느껴졌다. 우우웅, 하고 공기가 미약하게 진동하는 것 같은 느낌이 든다. 기이한 느낌이었다. 현기증의 전조 현상과도 약간 닮아 있었다. 시야가 살짝 일렁인다. 민서는 말과는 다른 코치의 행동에 급하게, 머릿속으로 외쳤다.

'거절한다. 거부한다. 싫어. 도약에 동의하지 않는다. 점퍼의 능력을 거부한다. 도약하지 않겠다. 나는 이 자리에 머무른다. 동참하지 않는다.'

우수수수, 쏟아내듯이 문장을 뱉었다. 어떤 대상이 있다고 가정을 하고, 누군가에게 말이라도 하듯이. 점퍼가 발휘하는 도약이라는 능력과 그 능력에 이용되는 미지의 에너지는 의사 능력이 없었지만, 입력 장치를 다룬다고 생각하고 최대한 Delete키를 누르듯이 말을 떠올렸다.

그리고 어김없이 시야가 까맣게 변했다.

다음 순간에 어지러움과 변한 시야를 예상했지만, 눈이 밝아진 순간 보이는 광경은 그대로였다. 단상의 저 아래, 아까까지 민서와 교관이 있던 곳에 교관이 나타나 있었다. 그는 여전히 모자를 푹 눌러쓴 채다. 코치가 양 팔을 들어올리며 어깨를 으쓱했다. 제법인데, 라는 제스쳐처럼 보였다.

김만철은 거리가 꽤 있어, 처음에 하던대로 큰 소리로 외치며 말을 했다.

"재능이 있는 친구로군! 집중력과 감각이 좋아! 한 순간에 반응해서 타이밍을 잡다니!"

민서가 그 말에 고개를 끄덕일 때, 저 멀리서 그가 다시 사라졌다. 근처에서 점퍼가 도약을 할 때엔 항상 기묘한 분위기와 소리, 진동이 들린다. 그의 뒤에서 김만철이 나타나며 목소리가 들렸다.

"단체 도약에 대한 거부는 금방 끝났구만. 한 번에 많은 걸 할 필요는 없지. 조금 쉬고, 점심을 먹고 다시 보지. 오후엔 가볍게 몸을 쓰는 일을 해볼 거야."
"이렇게 금방 말입니까? 점심도 먹습니까?"
"그러면 우리는 밥도 안 먹는 줄 알았나. 잘 나온다네. 식당 위치도 알려주지."

코치는 민서의 등을 한 번 툭 쳤다.

"갑작스러운 일에 대처하는 데 가장 필요한 건 결국 용기라네. 실제 상황에서 호기로라도 배짱을 부리고, 몸이 굳지 않도록 해. 그 정도의 의식만으로도 죽느냐 사느냐가 갈릴 수 있으니까."

죽느냐 사느냐, 라는 말을 할 때 그의 표정이 살짝 어두워진 것 같은 기분이 들었다. 만철이 얘기했다.

"내려가지. 계단은 뒤쪽이라네."
"어, 예."

민서는 그의 인도에 따라 단상을 내려섰다. 기지의 시설은 제법 넓은 모양이었다. 몇 명의 인원이 어느 정도 상주하는지, 건물에서 어떤 일들을 하는지 알 수 없었지만… 적어도 홍인수가 얘기한 '조직'이라는 것이 적잖은 자본력을 가지고 있다는 건 짐작할 수 있었다.

*

사내는 기지의 심처에 묶여 있었다.

불빛이 밝지 않은 공간이다. 윙윙대며 돌아가는 환풍구의 소리가 신경에 거슬린다. 사내가 제대로 정신을 차린 건, 그가 마지막에 기절을 하고서 꽤나 시간이 지난 시점이었다. 신체적으로 가혹한 나날들을 보냈기에, 피로가 누적되었던 탓일지도 모른다.

'기지'는 세계에서 유일하게 '점퍼'들이 모여 있는 '조직'의 본부였다. 그것이 어디 있는지는 아무도 모른다. 기지 내부의 기밀이었고, 여태껏 새어나간 적은 없다. 사내의 목적 중 하나는 지금 묶여 있는 이곳의 위치를 알아내는 것도 있었다. 반대로 붙잡혀서 이렇게 처량한 신세였지만.

숏컷 머리. 날카로운 인상. 스포츠 점퍼를 입고 있었다. 이십대 후반 정도로 보이는 사내는 '홍인수'와 대치했던 칼잡이였다. 그는 손목에서 느껴지는 금속의 감촉을 인지했다. 팔도, 다리도 의자의 다리나 등받이에 단단히 묶여 있었다. 조금의 틈도 없어서, 말 그대로 꼼짝할 수 없는 상태.

경동맥을 압박 당해서 기절했던 후유증인지 머리가 어지럽다. 온전하게 정신을 차리기까지 약간의 텀이 필요했다.

어느 정도의 시간이 지난 걸까… 사내는 궁리했다. 문득 인기척이 있음을 알았다. 자신의 어깨 부근에 누군가 손을 올리고 있었다. 사내도 잘 알고 있는 방식이었다. '도약 재밍'. 점퍼들을 한 장소에 구속하기 위해서는 비슷한 점퍼가 필요하다. 한 순간의 틈이라도 있다면, 점퍼에게 물리적 구속이란 무의미한 것이 되니까.

"……."

뒤통수도 좀 얼얼한 것 같았다. 경찰봉같은 막대의 손잡이로 무식하게 찍혔던 기억이 났다. 뇌진탕 따위가 일어나지 않은 게 다행이었다. 그대로 콘크리트 바닥에 엎어진 뒤, 목을 졸려서 기절했던 것 같은데….

몸의 컨디션은 움직일 수는 있는 정도였다. 잘 먹지 못하고, 거의 반나절이 넘게 격한 싸움을 했지만 그는 체력이 좋은 편이었다. 사내는 곧바로 도약을 시도했다.

미약한 진동이 일었다. 그리고 그 전에, 점퍼들은 점프의 전조를 더 빠르게 캐치한다. 사내의 어깨에 손을 얹은 점퍼 역시 능력자였고, 곧바로 재밍을 걸어왔다. 점퍼로서의 감각에, 도약의 과정에 혼선이 생기며 발동이 무효되는 게 느껴졌다. 굳이 비유하자면, 전파를 눈에 보듯 느낄 수 있는데 그것이 뻗어 나가다가 다른 파동을 만나 얽히고 사라지는 느낌이었다.

집에서 인터넷으로 파일을 다운 받다가 오류가 뜨는 느낌처럼, 짜증이 나기도 한다.

될 거라고 생각도 안했지만, 달갑지는 않았다. 재밍을 건 상대의 목소리가 뒤에서 흘러나왔다. 사내는 굳이 고개를 돌리지는 않았다. 그는 눈을 뜬 순간부터 축 늘어진 자신의 상태를 유지하다가 도약을 시도했다.

"드디어 깼군."

여상한 목소리였다. 조직은 비밀에 쌓인 것이 많은 단체였다. 이름도 알 수 없었고, 점퍼들 사이에서 도시 전설처럼 취급되기도 했다. 도약을 이용해 나쁜 일을 하면 조직이 잡아간다, 뭐 그런 뜬소문. 그 역시 혼자서 활동할 때는 조직에 대해서 알 수 없었다. 그와 비슷한 일을 하는 이들을 우연히 만나고, 팀으로서 움직이면서 조직이 실존함을 제대로 알게 되었지.

사내는 슬며시, 그리고 천천히 고개를 들며 입을 열었다. 자신이 오늘 죽지 않고, 그리고 아주 만약에 풀려 난다면 이곳에서 보고 듣는 것이 모두 아주 희귀한 정보가 될 테였다. 그는 그 모든 것을 눈에 담기로 했다.

"…뒤통수를 꽤나 세게 찍으셨어."

사내는 자신의 입에서 갈라진 목소리가 나옴을 느꼈다. 물도 마시지 않고, 생각보다 더 긴 시간 잠들어 있다가 깨어났음을 알았다. 확실히 '조직'에서 가장 유명한 점퍼와의 사투는 힘겨운 일이었다. 그 또한 싸움으로는 누구와도 지지 않는 자신이 있었음에도.

그가 눈을 들자 본 것은 희미한 불빛으로 밝혀진 하얀 방 안이었다. 뒤에는 손을 얹고 있는 남자가 있었고, 앞에는… 다소 어린 티가 나는 사내가 하나 있었다. 10대? 아니, 그러기는 어려웠다. 그들이 하고 있는 일과 조직의 엄중함을 생각했을 때 적어도 20대는 넘었겠지. 보기보다 나이 들었으리라 짐작했다.

눈 앞의 어린 티가 나는 청년이 말했다.

"그건 내가 아니라 잘 모르겠군. 찍은 놈한테 말해. 그보다 몸은 좀 괜찮나? 당장 죽을 것 같다고 한다면 진찰 정도는 봐줄 수도 있어."

헤.

사내는 입을 벌리며 숨을 뱉었다. 실소에 가까웠다. 생각보다 친절한 반응이다.

"고문이라도 해야 하는 것, 아닌가?"

생각보다 말이 자연스럽게 나오지 않는다. 사내는 자신의 몸상태를, 최초의 짐작보다 더 안좋게 다시 생각해야 했다. 지나친 피로감과 근육통에 감각이 적어 도리어 멀쩡하다고 생각했던 모양이다.

청년, 생긴 것은 소년에 가까운 자가 말했다.

"고문이라니. 안타깝게도 그런 기술자는 없군. 그래도 기술이 없어도 할 수 있는 건 있으니, 되도록이면 편한 길을 같이 걸었으면 좋겠는 바람이야."

툭툭. 하고 소년이 손을 움직였다. 그의 손에는 짧고 얇은 몽둥이 같은 게 들려 있었다. 두 뼘 정도의 길이로 자른 철근 같은 느낌이었다. 겉은 매끈하게 마감이 되어 있었지만.

"……."

사내는 말을 멈추었다. 고통이나 고문에 대해 각오를 하지 않은 건 아니었다. 애초에 그가 고통을 주었던 상대들을 생각하더라도, 그가 감당해야 할 원한의 수위는 상당했다. 그가 잘 움직여지지 않는 얼굴로 씨익 웃어 보였다.

"편한 길 좋지. 편하게 놓아주는 건 어때."

툭. 리듬에 맞추어 쇠막대기를 손바닥으로 잡던 소년이 움직임을 멈추었다. 생긴 것과 다른 날카롭고 단호한 목소리가 들렸다.

"어. 그러도록 하지. 알고 있는 것만 다 불어. 우리도 쓸데 없이 송장 치우거나 범법 행위를 늘리는데 관심은 없어."
"……."

사내가 다시 입을 다물었고, 소년(겉보기에)이 물었다.

"이름."
"…잭 더 나이프."

퍽.

말소리가 들리자마자 소년이 들고 있던 것으로 사내의 앞머리를 갈겼다. 생각보다 부드러운 소리였다. 사내는 고개가 돌아갔지만, 그가 들고 있던 게 적어도 쇠는 아니라는 걸 알 수 있었다. 이런 속도라면 피가 흘러야 했다. 머리의 감각이 맛이 간건가?

"중2병이냐? 이 미친 인간아. 한국인 아냐 당신?"

사내가 천천히 다시 고개를 바로 하며 입을 열었다.

"…다들 날 그렇게 부른다. 이름을 불릴 일이 더 적지."

투툭. 가볍게 손바닥으로 막대기를 두드리며 소년이 말했다.

"아니 그런 소리는 됐고…. 나이프 휘두르는 걸 자랑하고 싶은 거야? 이름 불어 그냥."
"……송일우."

소년은 그제야 고개를 끄덕였다.

"얼마나 좋아, 일우씨. 우리 서로 알아가는 시간을 갖자고. 아니… 일방적으로 내 쪽이 당신을 알겠지만."

사내, 일우가 감추어야 할 대단한 대의나, 비밀은 사실 많지 않은 편이었다. 협상을 해서, 그의 정보를 알려주는 대신 상대방의 정보를 알 수 있다면 모두 팔 수 있을 정도로.

그가 활동하는 팀은 규모가 작고, 견고한 단체가 아니었다. 고작 몇 명의 점퍼들이 개인적인 동기에 의해 모여서, 사회 속에서 자유롭게 움직이고 있을 뿐이었다. 물론, 그들이 말하는 '자유'란 법의 테두리를 넘는 경우가 많았다.

"같이 움직이는 점퍼들은 몇 명이나 돼지?"

소년의 물음의 송일우가 답했다.

"……솔직히."

갈라진 목소리로 말하는 게 힘들다. 듣는 입장에서도 유쾌한 소리는 아니고.

"…당신들에게 감춰야 할 게 많지는 않아. 안전을, 보장해준다면 말해주지. 그 전에 물을 좀 먹고 싶은데……."

툭툭툭. 소년은 손에 든 막대기를 두드렸다. 두 뼘 정도의 길이인 그것은, 외형은 쇠막대기처럼 일부러 만든 것 같았다. 실상은 그것보다 훨씬 가볍고, 무른 물질이었다. 굳이 따지자면 조금 무게감이 있는 플라스틱 정도의 재질이었다.

송일우의 얼굴을 잠시 노려보던 소년은 입을 열었다.

"마시는 편이 이야기에 도움이 된다면 못 줄 거 없지."

소년은 고개를 끄덕거리고, 허공의 한 방향을 향해서 손바닥을 안쪽으로 까딱거렸다. 가지고 오라는 제스쳐였다. 일우가 앉은 각도에서는 보기 힘들지만, 방의 천장 모서리에 cctv같은 거라도 있는지 모른다. 소년의 제스쳐에 반응해 짧은 텀으로, 그들이 있는 방의 문이 열렸다. 철컥. 여닫이 문이 안 쪽으로 열리며 손 하나가 튀어 나와서 물병과 종이컵을 건넸다.

소년이 받아들며 물을 따랐다. 쪼르륵. 그가 송일우에게 다가갔다.

의자에 묶인 채 힘 없이 늘어져 있는 꼴이다. 고개 정도는 움직일 수 있다. 최악을 생각한다면, 근처에 가서 이빨 정도로 방심한 상대의 손가락 따위를 물어 뜯을 수는 있겠다. 소년은 안쪽으로 종이컵을 감아쥐며 손에 힘을 좀 주었다.

소년이 송일우를 경계한 탓에 손등 부위가 그의 턱에 닿았다. 그 너머로 종이컵을 기울이며 물을 주었다. 주르륵. 송일우는 간신히 물을 몇 모금 마셨다. 물려고 든다면 바로 주먹을 쥐며 손을 빼 낼 작정이었으므로, 어색하고 불편한 꼴이 될 수 밖에 없었다.

송일우는 그 정도의 물로도 적잖은 갈증이 해소되는 것을 느꼈다. 물 한모금 마시지 못하고, 긴 시간 있었음이 역시 확실하다.

"후우…."

소년이 물었다.

"입 좀 털어보시지. 식사까지 챙겨 줄 생각은 없어. 대답하지 않는다면 구금이 길어질 거고. 또 우리는 당신네 정도의 규모의 점퍼 범죄자들이라면 꽤나 긴 시간을 할애해서 신문을 할 용의가 있는 사람들이야."

"……."

사실 송일우는 전 세계의 점퍼들에 대해서 잘 알지는 못한다. 자신이 특수한 능력을 가졌다는 것. 그리고 '점퍼'는 자신 혼자가 아니라 여러 명 있다는 것. 전체 인구에 비한다면 극도로 적은 수가 있다는 것. 자신보다 오래 활동한 점퍼들이 있고… 한국에만 알기로 조직을 제외하고 십 수 명이 있다는 것 정도.

그 정도 수에서… 6-7명 정도의 무리가 모여서 움직이는 자신의 팀은 꽤나 규모가 클 지도 모른다. 조직의 여력이 어디까지인지는 모르지만, 이 정도면 진지하게 상대할 규모라는 것 정도는 알아들었다. 확실히 점퍼가 그 정도 모여 있다면 생각보다 더 다양한 일들을 할 수 있다.

극단적으로 말해서, 전원이 반사회적인 싸이코이며 세상의 멸망을 바란다면 하루에 수백 회라도 여유롭게 점프를 이용해서 인명피해나 재산 피해를 입힐 수 있는 것이다. 잡히기 전까지, 각을 잘 보면서 움직이면 어떤 삼엄한 경계나 시설이라도 뚫고 파괴를 일삼을 수 있었다.

뭐 약간의 시간과 자본, 그리고 철저한 준비가 있다면 보다 현실성이 있어 지기도 한다. 점퍼의 도약에는 이미지나 데이터가 필요하다. 한 번도 가보지 않고, 어디 있는지도 모른다면 도약을 해내는데 제약이 많다. 도착지의 좌표 값이나, 상세한 지도, 그리고 민간에서도 구할 수 있는 사제의 전투 물자 따위를 이용한다면 큰 신체 능력이 없어도 수 많은 사람들을 농락할 수 있었다.

점퍼라고 하더라도, 도약을 제외하면 신체 능력은 일반인과 다를 바 없기에 준비가 미진하거나 잠시만 방심을 해서, 타격을 입고 죽거나 다칠 위험은 컸지만.

그럴 의지만 있다면 여서 일곱 명은, 제 3세계 국가의 정부라도 털어먹고 전쟁 물자를 취한 뒤 강국들을 상대로 테러를 벌이며 협상을 일삼을 수도 있다. 물론 그들만이 유일한 점퍼가 아니기에, 그 정도까지 가면 확실히 비슷한 능력을 가진 카운터 헌터들의 제재가 들어오리라 생각 되어서 않는 것 뿐아다.

심각한 인명 피해나 돌이킬 수 없는 수준의 강력 범죄를 수 차례 저지른다면, 지명 수배라도 찍혀서 죽을 때까지 쫓길 것이기에 살짝 머뭇거릴 뿐이고.

그럼에도 불구하고 그들의 팀이 준법 정신이 투철한 건 아니었다. 실제로 그들은 어느 선진국의 은행을 털어서, 귀금속 류를 돌아가며 취하고 자금을 모은 뒤 환전해서 여기저기서 휴양을 즐기고 있었다. 뒷세계에서 움직이는 이들이라면 이미 몇 개의 조직의 여러 조직원들을 보내버린 적도 있었다.

그렇게 좋을 대로 움직이며 '조직'에 대한 경계를 게을리하지 않고, 만일 가능하다면 그들의 약점이라도 취해서 더 큰 자유를 얻으려고 했지만… 그럴싸한 모든 계획이 실행되지는 않는다.

위의 계획이 가능했던 건 송일우의 존재가 컸다. 일반인을 훨씬 상회하는 대인 전투 능력이 있었고, 그들의 리더가 총화기까지 익숙하게 다루는 양반이었기에 무력적으로 자신감이 있어서 가능한 움직임이었는데… 조직의 미치광이는 송일우의 예상을 훨씬 상회했다.

"그다지… 할 말은 없다. 우리가 모두 몇 명이냐고? 전 세계에 점퍼가 얼마나 있는지 몰라도 당신네들보다 큰 단체가 만들어지기 어렵겠지. 그냥 개인적인 멍청이들이 모인 정도야. 여섯에서 일곱 정도…. 가끔 모여서 일을 할 때 말고는 우리는 서로 어디에 있는지도 모른다."

송일우가 말했다. 이야기를 듣고 소년이 다시 입을 열었다.

"오래 말하기 귀찮네. 좀 더 마음을 열 수 있도록 내 별명을 알려주지. '스미스smith'야. 대장장이란 뜻이지. 대장장이가 뭐겠나? 무기를 만드는 사람이야. 그러면 내 일은? 이것저것 쓸만한 발명품들을 만들어내는 거지."

그가 바지 주머니에서 작은 칩과 날카로운 바늘이 합쳐진 물건을 꺼내 들었다.

"현대 기술이 어디까지 발명되었는지 알고 있나? 아마 자네가 상상하는 것보다 조금 더 신기할 수 있어. 사회에 공개되지 않은 과학 기술들이 있지. 나는 그런 기술들 틈에서, '점프' 현상에 대해 해석하는 일을 하고 있지. 이건 그런 연구의 결과물 중 하나이고."

그가 어두운 불빛에 잘 안보일까봐, 송일우의 얼굴 가까이로 그것을 가져다 대며 말했다.

"점프가 정신과 뇌파에 의해 좌우되는 건 알 수도 있겠군. 상식에 가까우니. 이건 그런 특정한 뇌파가 정상 작동하지 못하게 막는 장치라네. 물리적인 재밍이라고 해도 좋아. 다만 연구는 완벽하지 않고, 샘플도 희귀하기 때문에 다소 거친 면이 있어. 점프에 관여한다고 보이는 뇌파, 전기신호, 체내 물질 여러 개의 작동을 다 틀어막는 식이거든. 사용례가 많지 않아 부작용은 다 확인되지 않았다네. 여긴 의사와 수술대도 있으니 이걸 자네 신경계에 삽입을 할 수도 있고… 아마 후천적인 수술로 일반인으로 돌아갈 거야. 멀쩡하게 돌아갈 지는 모르겠군."

흔들흔들. 미약한 불빛은 작은 칩셋을 불길하게 비추었다. 그 끝에 달린 바늘이 왜인지 위협적으로 보였다. 송일우의 눈이 약간 흔들렸다.

"우리의 소중한 실험 사례가 되어주겠나? 그러면 일단 우리가 함께할 수 있는 시간이 아주 길어질 수 있을텐데. 다만 부작용 때문에 자네의 기억이 온전하지 못할 수는 있겠군. 나로서도 답답하지만, 길게 갈 수 있는 방법을 택할 수도 있어."

어설픈, 고도의 과학 기술에 의한 물리적인 재밍이냐, 혹은 능력자에 의한 전통적인 재밍이냐. 후자는 인력을 사용하기에 24시간

감시 체제를 유지하는게 조직으로서도 꽤나 부담인 건 사실이다. 도약 횟수를 떠나 구금된 자의 몸에 계속 손을 붙이고 있는다는 게. 어느 정도 긴장감 또한 유지해야 하니, 일우의 정신이나 인내력이 무너지는 것만큼 조직 또한 상당한 심력을 나누어서 부담해야 했다.

송일우는 절로 눈살이 찌푸려지고 인상이 찡그려지는 걸 느꼈다. 살고 싶다. 그는 그렇게 생각했다. 조직지 그의 생각보다 온건한 곳이라는 건 알겠다. 막나가는 곳이었다면, 이런 곳에 끌려왔을 때 이미 자신의 몸 어딘가가 날아갔을 지도 모른다. 그런 곳에서의 말을 들으니, 자유롭게 지내던 삶으로 돌아가고 싶은 생각이 간절해졌다.

이룰 수 없는 소망보다는, 눈에 보이는 희미한 희망이 더 간절한 법이다. 그는 결국 고개를 숙였다.

그 모습을 보고 소년, 스미스가 말했다.

"대가리가 누군지. 접선 방법은 뭔지. 인원들 특징이랑 인상착의. 알고 있는 것만 다 불어. 다른 놈들도 상황 보고 심각한 놈들 아니면 거칠게는 안 다루니까. 연쇄 살인마쯤 되면 전자 구속구에 화약이라도 넣은 뒤에 감옥에서 썩게 하겠지만."

조금 더 덧붙였다.

"이건 경고야. 점프라는 능력을 함부로 쓸 지 모르는 놈들에 대한. 괴상한 놈들에게는 그래도 절차를 마련해주는 게 자비로운 거겠지. 한 번은 실수로 그랬다고 해도, 다시 막나간다는 소식이 들리면 그 때는 우리도 우리에게 주어진 행동권을 바로 사용해주지."

경고, 라는 말에 아이러니하게도 송일우의 마음이 움직였다. 알아듣기 쉬운 말이었던 터다. 특이한 능력을 가진 놈들이 정도를 모르고 날 뛸 수 있었다. 다시 그러지 않는 정도로 마무리 된다면 조직에 대항하지 않는 것도 방법 중에 하나가 된다. 그들은 자유의 의미를 사적으로 해석한 망나니들이었지만, 선택하라면 살 길을 고르고 싶은 사람들이었다.

"후……. 대장은 40대 후반의 한국인이야. 군인이라도 되는지 총도 잘 다루고……"

송일우의 입이 열렸다. 체념한 듯한 목소리였다. 스미스가 송일우의 뒤에 서 있는 점퍼에게 눈짓을 했다. 그가 고개를 끄덕였다. '녹음 하고 있지?'란 뜻이었다. 그가 하고 있다고 답한 것이고.

"…접선은 매 월 3일에 파주에 있는 인적 없는 폐건물에서 21시에 모인다. 그 외 연락할 일이 있으면 공유하는 주소의 인터넷 페이지를 사용하고……"

송일우의 말이 길게 이어졌다.

*

홍인수는 점심을 먹고 있었다.

우물.

그는 잘생긴 청년이었다. 늘 깔끔하게 단장을 하고 다니기도 했고. 나이는 28살. 그가 조직에 들어온 건 20살을 조금 넘긴 때였다. 어느덧 7, 8년차 정도가 된 일이다. 그가 이곳에 속한 것도.

우물우물.

그가 이 단체에서 '일'이라고 할만한 걸 한 건 오래된 일이었지만… 마음에 드는 부분도 있었고 들지 않는 부분도 있었다. 굳이 따지자면, 미치광이같은 점퍼 범죄자들과 어울리느라 몸이 남아나지 않게 치고 박고 뒹굴어야 하는 건 피곤한 일이었고, 그들이 머무르는 본부 건물의 식사는 마음에 드는 부분이었다.

조직은 세계적으로 여러 나라의 고위층과 연결이 되어 있는 경우가 많았다. 모든 나라와는 당연히 아니었지만, 그래도 몇몇 선진국의 정재계, 혹은 과학 학술계와도 연이 닿아 있었다. 그리고 그런 나라들과 컨택을 하고 일을 처리하고, 기술적인 도움이나 지원을 주기도 하면서 나쁘지 않은 규모의 부를 얻었다.

기지의 식사를 담당하는 수준급의 요리사들도 그런 대가들 중 하나였다.

세계 최고의 요리사라고 불리는 수준은 아니었지만, 그래도 어지간한 크기의 호텔에서 일했던 셰프들이 여러 명이었다. 솜씨가 좋은 사람도 있었고, 평범한 사람도 있었지만 홍인수의 수준에서는 과분한 정도였다. 그는 어린 나이에 많은 돈을 만져본 일이 없었다. 먹어왔던 것도 평범한 것들이나 그에 조금 못미치는 수준이었고. 삼시 세 끼를, 여건만 된다면 기지에서 제공하는 정식으로 먹을 수 있다니. 근로 의욕 상승에 상당한 도움을 주는 환경이었다.

-아, 아. 기지 내 방송. 원 투, 원 투. 코드 네임 소드 마스터, 소드 마스터. 기지 내에 있다면 호출 응답하십시오. 점심 시간에 방해해서 미안한데 호출기를 거들떠도 안 보니 어쩔 수 없습니다. 13시 15분까지 훈련실로 와주십시오.

그가 양식으로 차려진 정식에서 스프를 떠 먹고 있을 때였다. 평범한 크림 스프라도 요리사가 만들면 다르긴 해…라는 생각이 들 때 식당 스피커에서 소리가 났다. 달갑지 않은 내용이었다. 대체로 조직의 임무는 휴일을 가리지 않지만 굳이 따지자면 그는 오늘 비번이었다. 그의 임무 강도가 타 인원들에 비해 높고, 반복된다는 걸 생각하면 임무 완료 다음 날 정도는 그를 건드리지 않는 게 조직 내의 관례였다.

어차피 일부러 부르지 않아도, 조직의 무력을 사용할 일은 많고 크게 지나지 않아 또 바깥으로 돌게 되니까.

식당은 나름대로 크기가 있고 쾌적한 인테리어였다. 약 30명 정도는 한 번에 식사를 할 수 있었다. 긴 테이블을 열에 맞추어 깔아두고 자리에 앉아서 먹는 식이고… 청소를 위한 고용인이 따로 있어 청결하다. 기지의 일관된 정서인 흰 톤에 심플한 분위기였고, 밝은 실내등으로 환하게 비추며 스피커에서는 낮은 음량의 클래식이 흘러 나온다.

시간에 맞추어 가면 일반 요리는 만들어진 걸 자율 배급하는 식이고, 메인 디쉬만 인원에 맞춰 새롭게 요리해준다.

그렇게 즐겁게 식사를 하다가, 클래식이 끊기고 스미스smith의 음성이 들린 경우였다. 홍인수는 내용을 듣자마자 주머니를 뒤적거려 호출기를 꺼냈다. 시계형도 있었지만 그는 구태여 구형 호출기를 들고 다닌다.

삐삐 모양이었다. 호두만한 크기에 납작한 호출기가 숫자나 단어를 표시하고 있었다. 보통 불빛이 나고 소리가 나는데, 식당 소리나 음식에 집중한 탓에 무시한 모양이다. 사실은 피곤한 일에 관여하고 싶지 않다는 마음 상태도 어느 정도 연관 되었을지 모른다.

-호출. 소드마스터. A동04훈련실. 직후시 15분. 손님 관련.

지금 시간은 2시 55분이었다. 조직은 세계 각지에서 일어나는 다양한 실제 임무에 투입되지만, 개인에게 모든 부담을 지우지 않는다. 오늘의 그가 맡을 수 있는 일은, 다른 인원들이 다소 분담해 줄 것이다. 그는 직전까지 편하게 밥을 먹고 도약으로 움직이기로 했다.

"오, 소드마스터!"

그가 다시 스프를 떠먹을 때 지나가던 누군가가 말을 걸었다. '소드마스터', 라는 코드 네임은 조직의 신참들에게 가십거리나 놀림거리가 되기 쉬운 단어였다. 한국에서 판타지 소설을 읽어 본 친구라면 더욱 그러하다. 홍인수는 조직의 인원들에게 굳이 불만을 표현하는 편은 아니었으므로, 대개는 넘어간다.

물론 가끔, 오래된 동기나 선임자들이 놀릴 때는 짜증을 낸다.

대인 전투에 관해 특기 요원이라고 이런 코드 네임을 배정한 지휘관에게도 종종 투덜거리기도 한다. 기분이 아주 안 좋으면 모의 훈련을 빙자해서 힘을 주어 집어 던지기도 하고.

그가 굳이 말을 하지 않으면, 그에게 다가와서까지 심하게 장난을 걸 배짱 좋은 신입은 없었다. 그와 정기 대련 훈련을 한 번이라도 가져보거나, 참관한 요원이라면.

그는 서양식 정식을 마저 다 먹고 나서야, 차분하게 일어섰다. 오늘 안심 스테이크는 특히 곁들여진 소스가 마음에 들었다. 셰프가 신경을 쓴 건지 자주 보지 못한 블루베리 소스가 기가 막히다.

*

-호출. 소드마스터. A동04훈련실. 직후시 15분. 손님 관련.

소드마스터는 그의 코드 네임이었다. A동은, 그가 있던 식당 건물 건너에 있는 기지 건물이었다. 04훈련실은 A동의 주 훈련실로, 가장 큰 훈련실을 말했다. 1, 2개 소대 인원 정도가 동시에 모의 대련을 할 수 있는 크기였다.

식당은 기지 B동의 지하 2층이었고, 훈련실은 건물 사이를 잇는 터널을 지나 A동의 지하 4층이었다. 직후시는 말 그대로 호출 받은 시간 바로 다음 시간을 뜻하고… 손님이라면, 그가 데려온 사람을 말할 테였다.

기지 건물은 제법 규모가 크다. 어지간한 대형 병원의 크기 정도는 되었다. 고층 빌딩을 짧게 잘라서, 지하에 넓게 배치해둔 모양이라고 설명할 수도 있었다.

고로, 걸어가기 귀찮았으므로, 홍인수는 능력을 사용했다.

4월 2일. 토요일.

오후 13시 10분.

한가로운 주말 점심. 그는 예정에 없던 호출을 받아 뚱한 표정으로 훈련실 앞에 서 있었다. 기지 내 불필요한 도약은 지양하자는 주의가 조직 내 규율이었지만, 어디까지나 권고였지 필수는 아니었다.

범죄에 거리낌이 없는 점퍼를 상대하는 건, 꽤나 고달픈 일이었다. 홍인수를 비롯해서 대인전에 특화된 프로 팀이 있다면 그들이 출동하고, 없다면 연이 닿은 각국에서 지원해주는 특수 부대원들이 갖은 주의와 훈련을 받고 중무장을 한 채 나서게 된다.

대인전 대응 능력이 B급 이상으로 책정된 인원들 중에서 빠르게 차출을 해서 대동한 채로.

바꿔 말하면 온갖 무장을 한 특수 부대원들이 할만한 일을 혼자서, 혹은 몇 명의 팀워크로 해내야 하는 일이었으므로 심적인 소모가 크다. 홍인수는 외부 임무를 맡고 온 다음 날 정도는 휴식을 주장했지만, 간혹 조직적으로 사정이 생기면 가차없이 움직여야 할 때가 있었다.

오늘처럼.

그가 뚱한 표정을 지으면서도 마냥 누군가에게 투덜댈 수 없는 점은, 그가 직접 데려 온 민간인과 관련된 일일 터였기 때문이었다.

기지 내의 인테리어는 통일된 컨셉으로 온통 하얗고, 깔끔하다. 먼지라도 쌓이면 바로 보이는 실내였고, 덕분에 고용된 청소부들이 하루에 3교대로 청소를 한다.

홍인수는 하얀 복도에 서 있었다. 두꺼운 철문에 충격 방지용 에어백을 붙여둔 훈련실 앞에서.

등을 벽에 기대고 구두 굽으로 바닥을 까딱거리며 찬다. 얼마 지나지 않아 멀리서 두 명이 걸어왔다.

13:14.

그는 재래식 손목 시계로 시간을 확인했다. 딱 맞추어 복도 끝에서 걸어오는 이들은, 아마 코치Coach와… 김민서일 테다. 민간인 사내.

"여어. 걸어 오십니다?"

홍인수, 소드 마스터, 소마가 시비를 걸었다. 코치, 김만철은 멀리서 대답했다. "시간보다 일찍 왔군!" 그는 목청이 큰 사내였다. 언제나 아무도 안 입는 조직의 정복을 다려서 입고 다니고, 훈련소 조교나 쓸법한 모자를 눌러 쓴 채 기지를 활보한다.

조직의 수많은 인원들이, 그에게 사사 받았다는 점에서 입지가 높은 인물이었다. 홍인수는 그런 이한테 친근하게 구는 걸 좋아하는 편이었고.

코치와 민간인은 금방 걸어와서 홍인수의 곁에 섰다. 김만철이 두꺼운 손으로 홍인수의 팔뚝을 퍽 하고 쳤다.

"기지 내에 있으면서 호출이 잘 안되는 군. 쉬는 것도 좋지만 호출기 내용 정도는 봐줘야지."

홍인수는 팔뚝을 반사적으로 문지르면서 답했다.

"아니 더럽게 힘만 세서…. 저도 몰랐습니다. 식당에서 밥먹느라 호출기가 울리는 줄도요."

코치가 고개를 흔들었다. 그는 고개를 흔들 때마다 모자의 챙이 같이 흔들린다. 빠르게 흔들면 근처에 있는 사람한테 제법 위협적이다.

"아무튼 됐네. 들어가지."

그가 철문을 가리켰고, 홍인수가 기다렸다는 듯이 양문을 열었다. 철컥, 하고 손잡이를 내리면 큰 저항 없이 바로 열리는 문이었다.

문을 열고 들어가 보이는 건 익숙한 실내다. 하얀 색의, 별 것도 없는 넓은 공간. 아래 위 다 비슷한 톤으로 깔끔하게 칠해져있고, 어떤 가구도 없이 휑하다. 다만 이 공간의 벽들은 충격에 강한 소재로 덧대고 페인팅을 새로 했다. 설계도를 본다면 이 방만 유난히 옆 방의 공간과 거리가 띄워져 있다. 많은 내장재가 사이를 막고, 일부러 거리도 벌려놨다.

두 개 소대, 그러니까 3-40명 정도가 운동을 해도 될 정도의 크기였다. 그 방의 출입구에서 떨어진 앞 쪽에는 단상 하나가 덩그러니 있다. 흰색으로 페인트칠이 된 구조물. 홍인수에게는 지겨울 정도로 익숙한 방이었다. 민서에게는 두 번 째였지만.

코치가 말했다.

"이번 교육생은 열의도 괜찮고 습득도 빨라서 가르치기가 편하더군. 오전에 단체 도약 재밍을 마쳤어. 오후에는 점퍼가 공격해오는 상황에서 생존법을 배울 차례네."
"오전에요? 빠른데요. 김민서 씨. 제가 하라고 했지만 습득이 정말 빠르네요."
"어… 예. 그래요?"

김민서는 모든 게 낯선 환경에서 움츠러드는 성향이 있었다. 홍인수의 말에 고개를 끄덕였지만 그게 어떤 의미인지 와닿지는 않는다. 홍인수가 말했다.

"예. 보통 비능력자에게 단체 도약 재밍을 습득시키는데 몇 주가 걸립니다. 길어지면 아무리 해도 못 배우는 사람도 많고요. 그걸 하루만에, 한 번에 했다는 건 이상할 정도로 빠른 겁니다. 하나님이 당신이 죽지 않기를 바라시기라도 하나 봅니다."

"어…… 예. 저도 제가 죽지 않았으면 좋겠습니다."

민서는 멍청한 말로 대답했다. 이곳에서 듣는 말들이나 정보는 대개 실감과는 거리가 먼 것들이었다. 조금이라도 현실성이 있는 부류였으면 비교라도 해서 알아 듣겠는데, 아예 새로운 정보들이니. 기계 공학과를 다니다가 연고도 없이 불어불문학과 심화 전공을 듣는 기분이었다. 심지어 불어로 수업하는 종류.

홍인수는 혼자 말하고 고개를 끄덕거렸다.

"이해할 수 없지만 그런 일이 있을 수도 있죠. 애초에 점프부터가 해석 안되는 판에. 그럼 만약에 당신이 전투나, 조직에서 필요한 업무에 재능이 있다면 이곳에서 일할 수도 있다는 얘기입니다."

코치가 동의했다.

"소마의 말이 맞네. 괜히 분위기가 흐트러질까봐 말은 안했네만. 드문 경우지. 혹시 평소에 집중력이나, 정신력이 강한 편이라는 소리를 많이 들었나 자넨?"

민서가 고개를 저었다. 딱히 그런 일은 없었다.

"아뇨. 평범합니다. 의지 박약이고요."

평일 낮에 편의점 아르바이트를 가는 것조차 애를 쓰는 인간이었다. 더욱이 기계공학은 도중에 놓아버린 것이나 마찬가지였고.

김만철은 말 없이 고개를 끄덕였다. 그가 말했다.

"당장 해야할 일이 있다면 원인은 몰라도 될 때가 있지. 아무튼 지금부터는 대인 전투의 일부라네. 식사 후라 미안하지만, 토하기 직전까지만 굴려주면 될 것 같은데."
"예?"

민서가 반문했다. 홍인수는 긍정했다.

"어, 예. 알겠습니다. 내근 요원들 수준으로만 만들면 되는 거죠."
"그러면 좋은데 가능한 기간이 얼마일지 모르겠군. 김민서 교육생."
"예?"

만철이 물었다.

"혹시 시간 많나? 특별한 인생의 장기 계획이라도 준비 중인가?"
"어… 예."

민서는 왜인지 모를 불길한 예감에 고개를 끄덕였다. 만철이 답했다.

"없는 게 분명하구만. 할 일 없이 때우는 젊은 인생이 분명해. 그럴 바엔 앞으로 주말마다 와서 체력 단련이라도 하게. 어딘가 써먹을 데가 있을거야. 우리는 돈도 안 받고 말야."
"예?"

짝짝. 코치가 가볍게, 하지만 절도 있게 소리를 내서 박수를 쳤다. 분위기를 환기하는 제스처였다.

"젊은 날엔 고민보단 부딪히는 게 좋을 때가 많지. 일단 배워보게. 지금 하는 교육의 이름은 '만약 싸이코 점퍼가 너를 노린다면'이라네. 인수 군?"

코치는 홍인수를 친근하게 불렀다. 홍인수가 오기 훨씬 전에, 조직과 한국군의 트레이드로 군 경력을 쌓은 전문가인 그는 홍인수의 전투 교관이기도 했다. 놀랍게도, 그는 따지자면 동안인 편이었다. 신체적 능력도 준수하게 노화를 막고 있는 체육인이었고.

홍인수는 코치의 말에 별 대꾸도 없이 곧장 훈련실의 중앙으로 향했다. 바닥은 견고하지만, 넘어질 때 충격을 흡수해주는 재질로 되어 있었다. 조금 험하게 굴리거나, 유도 기술을 써도 잘만 낙법을 치면 잘못될 일은 없다.

물론, 민서는 쉽사리 발걸음이 떨어지지 않았다. 그는 어디까지나 평범한 일상을 살아가던, 자퇴생에 불과했다. 이 말도 안되는 현상을 발휘하는 괴인들에게 둘러싸여 이 자리에 있었지만, 생각이 바뀌지는 않는다. 그는 당황스러운 상황의 대처법을 조금 주워 듣고, 정보를 얻고 돌아가려는 속셈이었다. 아무리 생각해도 본격적인 체육계의 훈련에 동참할 동기는 없었다.

툭.

만철의 손이 민서의 등에 닿았다. 슬쩍 미는 것이 가운데로 자리를 옮기는 것 같아서, 민서는 고개를 돌려 말하려고 했다. '아니

이게 뭔… 뭐 할 건지 말이라도 일단 자세하게 해주셔야….' 점퍼의 경우엔, 밀지 않아도 된다는 걸 간과했다.

우웅. 하고 이제는 익숙해지는게 아닌가 하는 기묘한 감각과 소리가 울렸다. 민서는 눈 한 번 깜박일 사이에, 훈련실 가운데 선 홍인수와 마주보고 있었다. 단체 도약 재밍은 제 때 발휘하지 못했다. 코치가 말했다.

"이런. 오전에 배웠던 걸 썼다면 조금 느린 코스로 가려 했는데. 아무래도 자네는 빠르게 많은 걸 배우는게 생존에 도움이 될 것 같군."

교관같은 말투였다. 코치라는 이름에 어울리는 언변이었다. 민서가 변론을 할 새도 없이, 순식간에 코치는 사라졌다가 저 멀리서 나타났다. 그가 큰 소리로 말한다.

"인수 군! 백업 요원 과정으로 가지!"
"예 써Sir, 코치!"

홍인수가 덥썩, 다가왔다. 몇 걸음 정도의 거리는 소마에게 없는 거나 마찬가지인 간격이었다. 무엇보다 상대가 넋을 놓고 있다면. 바로 반응하지 않으면 순식간에 다가와 치명타를 갈길 수 있다. '소드마스터'라는 별명은 조직 내 대인전투 최강을 가리킨다. 그는 어지간한 격투의 프로와 싸워도 도리어 압도하는 운동 능력을 가지고 있었다.

민서는 오늘 후드 티에, 트레이닝복 바지를 입고 왔다. 신발은 운동화를 신은 채였고. 홍인수는 자연스럽게 그 멱살 부위를 잡아

채고는 슬쩍 발을 걸었고, 그대로 몸을 돌리며 던졌다.

"아, 아악!"

민서는 굳이 따지자면 조금 체감이 느린 편이었다. 어딘가 붕뜬 구석도 있었고. 일상 생활에서의 성격이나, 태도에 있어서. 간만에 현실감이 몸을 덮쳐오며 그를 급박하게 만들었다. 편히 쉬고 있는 집안에 미친 점퍼들이 처들어왔을 때 다음으로 놀라고 있었다.

변변찮은 반항도 못하고 민서는 한참을 던져졌다. 본격적인 싸움을 위해서라면, 틈을 주지 않고 그대로 바닥에 매다 꽂겠지만 초심자의 훈련을 위해 거리를 주고 여유를 두는 던지기였다.

와아악! 그 거리만큼 민서의 시야가 돌며 당황스러움이 더해졌다. 쿵! 사람이 땅바닥에 던져질 땐 이런 소리가 난다. 민서는 경황이 없는 중에서 큰 소리를 들었다. 자기 몸으로 만든 소리가 아니었다면 좀 더 정신을 차릴 수 있을뻔 했다.

왁. 왁. 우악. 의외로 바닥의 재질이 괜찮았다. 민서는 저도 모르게 그런 생각을 했다. 그 순간에. 사실 죽을 지도 몰라, 라고 막연하게 생각했는데 통증이 있었지만 죽을 만큼 아프지는 않았다. 바닥이 반탄력이 있어서 충격을 받고 다시 튀어 오르기까지 한다.

우웅.

하고,

느끼기 싫은 감각이 느껴졌다. 소마는 훈련에 나름의 열정을 다하기로 했다. 휴일에 불러 나와서 짜증을 부리는 건 결코 아니었다. 자신이 데려온 민간인에 대한 책임감도 어느 정도 있었다. 간만에 직접 훈련을 봐주는 거라 신이 났을 수는 있었다.

홍인수, 소드 마스터는 복싱과 무에타이, 유도와 주짓수를 배웠다. 다양한 장르를 배웠지만 그건 곧 현대에서 MMA선수들이 익히는 것과 흡사한 기술들이었다. 그는 그런 분야의 이해가 뛰어난 편이었고, 수행 능력은 더 뛰어난 편이었다. 어릴 적부터 몸으로 하는 일엔 천재적인 재능이 있었다. 본격적인 실전을 거치면서 더 날카로워졌고.

점프의 전투적 이용이라는 점에 있어서도, 그는 가장 빠르게 근거리 도약을 연속으로 하는 인물이었다. 순간 집중도나 공간 지각 능력이 뛰어나야 한다. 사소하게는 어지럼증 따위에 익숙해지는 훈련도 필요했고.

일반적인 움직임과 다르게 점퍼의 전투에는 동작의 맥락이 결여되어 있다. 점프는 관성을 무효화시킨다. 순식간에 암전되었던 시야가 돌아올 때, 자신이 상상했던 장면과 맞추며 현실에서 동작을 수행해야 한다. 잠시 0이 되었던 운동성을 다시 끌어올리기 위해 다양한 자세가 가능해야 했고, 유연성이나 다양한 부위의 근육도 필요했다.

복잡한 일이었고, 그걸 수행하기 위해 여러 가지의 능력이 필요했다. 조직에서 소드마스터라 불리는 인물의 손에서 벗어나는 건 민서에게 불가능한 일이었다.

비단 그만이 아니라 가장 오래된 비점퍼 전투 요원도 잘 벗어나지 못한다. 민서는 훈련의 첫 날 오리엔테이션 느낌으로, 한참 동안을 신나게 집어 던져졌다.

우악!

보통 몇 초 안에 끝나는 집어 던지는 동작이 계속해서 반복 되었다. 홍인수의 스테미나는 초인적인 수준에 가까웠다. 점프로 관성을 줄이고 이동 거리를 줄이면 힘을 더 분배할 수 있다.

민서는, 단언컨데 롤러코스터보다 수십 배는 어지러운 경험을 해야만 했다.

정말로 토를 하기 직전에야 훈련이 끝났다.

***

우아악!

김민서는 자취방에서 소리없이 괴성을 지르며 벌떡 일어섰다. 정확히는, 비명을 지르는 실감나는 꿈을 꾸다가 벌떡 일어났다. 실제로 그의 성대는 아무 소리도 내지 않았다.

밤 사이 마른 목으로 공기 새는 소리나 조금 흘러나왔을 뿐이었다.

“헉, 헉.”

숨이 가빠왔다. 지독한 악몽은 현실에도 영향을 미친다. 사람의 기분이나 긴장감은 신체의 사소한 근육들에 영향을 미치고, 충분히 숨이 조여오게 만들고 호흡이 힘들 수 있었다.

"후우, 후우."

물을 한 모금 삼킬 정도의 시간동안, 그는 침착했다. 아무것도 없었다. 그는 평안하게 방 안에서 자다가 깼을 뿐이다.

2022/4/4/AM07:35.

그의 원룸의 침대는 단출한 싸구려였다. 하얀 매트리스 위에 얇은 이불을 대충 덮고 그 위에서 잔다. 침대 머리맡 매트리스에는 고약한 소음을 내는 디지털 알람 시계를 늘 둔다.

시계가 알리는 시간은 아침이었다. 커튼 사이로 아침 햇살이 비쳐온다. 잠을 못잔 건 아니었다. 다만,

"억."

근육통이 쑤셨다. 민서는 상체를 일으킨 상태에서 몸을 뒤틀다가, 한 10초 정도 가만히 있었다. 허리, 어깨, 팔, 알이 배기지 않은 곳이 없었다. 어억.

그리고 다음 10초는 이 정신 나간 조직의 점퍼들을 고소를 할 수 있을까, 에 대해서 진지하게 고민했다. 곧 현실성이 없는 것 같아서 접었다. 당장 현대 병력이 상대하기 어려워하는 범죄자 점퍼

들을 잡아들이는 점퍼 조직을 상대로 어떤 억제력을 발휘할 수 있겠나.

그들은 미치광이는 아니었고(잠깐 고민했다), 웬만하면 사회 안에서 살아가는 이들이었다. 순간이동이라는 특이한 능력을 가진 채로 세상을 바라보고 살아가지만, 일반적인 삶에 대한 감각을 가진 이들이었다.

그러나 일반적인 제도의 테두리 안에 넣기에는 어려운 존재들인 건 분명했다. 아니 사실… 점프라는 능력이 아니어도 평범한 대학생에 불과한 민서로서는 그 녹록 찮은 조직에 대항할 수단이 마땅찮다.

머리가 복잡해져서 생각을 그만두었다. 일어나려고 애를 쓰다가 몇 번을 멈춰서고 끙끙댔다. 침대에 한 발을 내딛다가 힘을 잃어서 팔로 몸을 지탱하고 잠깐 있었다.

그는, 주말동안 정말 신나게 굴렀다. 그래, 가본 적은 없지만 엘리트 운동인들이 있는 투기계 체육부에 갑자기 들어가서 참여한 느낌이었다. 아니 사실, 그것보다 조금 더 혹독했다. 일부러 신입생을 괴롭히는 고약한 선배들을 단체로 맞이한 경우여야만 비교가 가능했다.

토요일 오전까지는 몸을 쓰는 일은 아니었지만, 오후부터 직접 몸으로 격투기를 배워야 했다. 유도, 주짓수, 복싱, 무에타이. 타격기에 대해서는 최소한의 보호구가 있었지만, 어질어질한 건 마찬가지였다.

메쳐지고, 들리고, 날아가고, 비틀리고, 조임 당하고, 맞고, 차이고, 일으켜졌다. 훈련실이라고 불렸던 공간의 바닥은 정말로 소재가 좋았다. 그다지 알고 싶지는 않았지만. 몸으로 주말간 억지로, 친해진 셈이었다.

홍인수, 소드 마스터라 불렸던 사내는 민서를 훈련시키는데 나름 열정적이었다. 하루에 일정 횟수 이상 사용할 수 없다는 도약을 아낌 없이 쓰면서 굴려대는 터라, 당하고 있는 경험이 현실인지 아닌지 헷갈렸었다.

몸으로 통증이 오면 곧바로 현실임을 깨닫기는 했지만.

그는 지친 몸을 이끌고 씻고, 밥을 챙겨 먹고, 다시 누웠다. 편의점 아르바이트는 오후 시간을 쓰는게 전부다. 잠깐이나마 더, 굴림 당한 몸을 좀 누이고 쉬어야 할 것 같았다.

*

조직은 비상이 걸리면 바쁘게 움직인다. 이동 거리의 제약이 없는 점퍼의 특성상, 세계 각국의 최고 난도의 상황에 파견되는 일이 잦았다.

그리고 그 말은, 그들이 대응할 사건이 동시다발적으로 생겨날 수 있다는 이야기였다.

비 점퍼 요원들의 경우엔 기지, 혹은 파견 지역을 중심으로 인근 국가의 상황을 관리하는 게 보통이었지만. 심할 때의 점퍼들은 조금의 쉬는 시간도 없이 연속적으로 임무를 처리할 때도 있었다.

그러니까, 가령 이런 일이었다.

"못 알아처먹어! 지금 여기에 있는 게 누군지 알아? 빌어먹을 공주야! 당신네들 나라의 자존심을 진흙탕에 처박아 주길 원해? 내가 인도적이라는 사실에 감사해! 고작 1000만 달러라고. 그것만 주면 아무 문제 없어. 손가락 하나 대지 않았다고. 근데 이렇게 나오면, 조금이라도 늦어지면 내 손가락이 방아쇠를 당길지 몰라!"

영국은 총리가 다스리는 나라였다. 의원내각제에 의해 의회가 있었고, 상징적인 의미로 전근대부터 이어져 온 영국 왕실이 존재한다.

입헌군주제를 표방하는 나라였다.

현대에 와서도 그 왕가는 국내외적으로 많은 영향을 끼친다. 실권을 행사하는 건 아니었으나 외교적으로도 우호의 의미를 다질 때 충분한 국가 의사의 대변자가 될 수 있었다.

그런 뜻에서, 미국의 어느 외딴 폐건물에 인질범이 왕실의 공주에게 총구를 들이밀고 있는 건 꽤나 급박한 상황이었다.

"이 구멍에서 뭐가 튀어 나가는 줄 알아? 총 좋아하나? 나는 이 빌어먹을 화약 무기를 상당히 좋아하지! 종류별로 모아놓고 매일 쳐다보고 싶을 정도야! 오늘 챙겨온 건 매그넘이라고, 이 예쁜 공주님을 한 번에 날려버릴 수 있는 종류야! 어디를 맞던, 한 번에!"

폐건물은 어두웠다. 내장재가 다 튀어나와 있는 콘크리트 건물의 상층부였다. 계단이나 제대로 있을까 싶은 구조였고, 뚫려 있는 창문에서는 휑한 바람이 돈다.

창문 너머로 석양이 지고 있었다. 다시 그 너머에는 황량한 사막이 보인다. 지도에도 딱히 나와있지 않은 지점이었다. 범인은 강도들이 흔히 쓰고는 하는 안면 마스크 따위를 덮어 쓰고 있었고, 눈깔과 작게 자른 입의 구멍으로 입의 일부만 드러난다.

작지 않은, 단단한 체격의 사내였다. 키가 다소 작고 몸집이 옆으로 크고 근육질이었다. 눈동자는 밝은 갈색이나 콘택트 렌즈 따위를 꼈다면, 그마저도 색이 다를 수 있었다.

범인은 묵직한 매그넘 권총을 든 채로 팔을 휘적거리며, 연극을 하듯이 건물을 돌아다니고 있었다. 정확히는, 의자에 묶여 있는 어린 소녀, 공주와 그가 켜 둔 카메라 사이의 공간이었다.

몸을 잠시도 가만히 두고 있지 못하는 그는 많이 흥분되어 보였다. 과장스럽게 움직이는 꼴이나, 격앙된 목소리가 그랬다. 눈빛도 다소 떨린다.

알코올이나, 혹은 마약에 취해있을 수도 있었다. 만일 멀쩡한 이성이 있다면 자신이 벌이고 있는 인질극의 규모를 알고 두려움에 떨고 있는 걸지도 모른다.

어쨌든 범인은 정상이 아니었다. 자신의 괴로움을 털어낸다는 듯

끊임없이 말을 덧붙였다.

가정용의 비디오 카메라. 이제는 쓰는 사람이 많이 없는 물건을 삼각대에 거치해두고, 노트북에 연결해서 영상을 보내고 있었다.

영상의 반대편은 영국의 왕실 관계자였다.

한국으로 치면 초등학교 저학년 정도의 나이인, 어린 몸집의 소녀는 잠시 방미 일정을 가졌다가 이렇게 된 꼴이었다.

즐겁고, 들뜬 분위기의 일정이었다. 영국 왕가의 이동에는 늘 경호원들이 철저하게 따르지만, 풀어진 분위기 속에서 꼬마가 떼를 써서 다소 경계가 느슨해질 수도 있었다.

본 경호원 집단과 떨어져 소수의 인원을 데리고 잠시, 그리 멀리도 아닌 고작 한 두 블럭 정도의 거리를 따로 움직일 수는 있는 법이었다.

남자는 기회를 놓치지 않았다. 범인은 간절하게 돈이 필요했고, 눈 앞에 있는 유명인을 보고 곧바로 충동을 실행했다.

사내는 총기 애호가였고, 또 사용에 있어서도 마니아였다. 몇 번의 전과가 있었고, 제대로 된 직업이 없었다. 심각한 수준은 아니었으나 마약 중독 증세가 있었다.

그가 일을 벌인 건 머리에 남아 있는 약기운과 밀린 빚, 그에게 총구를 들이밀던 마약상의 협박 탓이 있는지도 모른다. 그는 사업에 실패한지 오래 되었고, 자산을 팔아 살아가고 있었다. 마약에 손을 댄 이후로 소모 속도는 훨씬 빨라졌다.

마약상에게 빚을 지듯이 외상으로 많은 양을 얻어왔다. 그것을 다시 비싼 값에 팔아 장사를 하고 본인의 필요량을 채우려던 속셈이었다.

그런 과정에서 몇 명의 범죄자 동료들이 생겼고, 다른 조직과 얽혔다. 그가 세웠던 마약 딜러로서의 포부는 망가졌고, 재고처럼 남은 약과 중독 증세, 빚더미와 여기저기서 날아오는 협박과 납탄만 남았다.

지금 이 자리, 폐건물의 내부에 서서 영국의 고위직 공무원들에게 난리를 피우기까지도 쉬운 일이 아니었다. 같이 일을 벌였던 동료들은 전부 잡히거나 어딘가 다쳐서 널브러졌다. 죽은 놈은 없던 것 같지만, 현행범으로 지독한 범죄를 저지르다 잡혔으니 비슷한 꼴을 형량으로 당할 테였다.

여기까지 살아남은 건 그 혼자였다. 그 망할 도시의 다운타운에서 한참이나 떨어진 이 황무지까지 묘기를 부리다시피 건물을 넘고 차를 바꿔 타고 미친 마약쟁이처럼 운전을 해서 왔다.

그가 그 도시의 토박이로, 온갖 뒷골목의 루트를 알고 럭비 선수처럼 뛰어댔으며, 몇 번의 운이 따랐기에 간신히 이런 상황까지 올 수 있었던 것이다.

인질범은 자신이 흔적을 남기지 않았는가, 따라 붙은 추적자들이 있지는 않는가, 자신의 요행이 어디까지 통할 수 있는가, 그런 생각들로 덜덜 떨리려는 몸을 감추었다.

그런 탓에 더욱 과장된 행동과 목소리가 나온다.

1000만 달러. 한화로 100억원 근처의 돈. 그 돈만 있으면, 이 모든 짓거리의 종지부를 찍을 수 있었다. 그는 돌이킬 수 없는 강을 건넜고 인생을 바꿀 돈을 원했다.

화면 건너편에서 양복을 입은 남자들이 어수선하게 움직이는게 보였다. 무슨 짓을 하는지 알 수 없었다. 보내라고 했던 계좌에는 아직 아무런 금액이 들어오지 않았다.

그가 미친 짓을 벌인 지 반나절. 아침에 한가로운 시간에 도심을 구경하다가 여기까지 끌려온 공주는 덕테이프로 입을 막아두었기도 하고, 심력이 소모되었는지 큰 반응이 없다.

끌고 왔던 처음에는 온갖 소리를 지르고 시끄럽게 빽빽 울어댔지만, 남자가 더 크게 소리를 지르자 움츠러들었고 힘이 다했는지 어느 순간부터 축 늘어져 있었다.

지나친 공포감과 당황 속에서 정신적인 회피를 선택했는지도 모른다.

오늘 이 사건이 해피 엔딩으로 끝나던, 혹은 최악의 비극으로 끝나던 일단 어린 공주의 기억 속에 트라우마는 하나 자리 잡을 것 같았다.

왕실의 공주답게 예쁘게 차려 입은 어린이 용 드레스였다. 외출용으로 만들어져서 움직이기도 편했고, 그렇게까지 튀지는 않았으나 소재가 고급스럽다. 분명 명품을 만드는 장인이 만들었거나, 그런 브랜드의 제품일 테였다.

화면 너머의 영국의 장관급 인사가 얼굴을 마른 세수로 감싸 쥐는게 보였다. 대테러 정책을 수립하고 대응하는 내무부 쪽 장관이었다.

이 정신 나간 테러 인질극은 꽤나, 성공적이었고 또 기적적이었다. 도심에서 공주를 발견한 미친 마약쟁이가 총을 잘 다루고, 럭비선수처럼 잘 뛰었으며, 도시의 네트워크를 형성한 조직원들이 있었고 그들이 자의 반 타의 반으로 몸을 던져서 추적자들을 막아섰다.

공주는 잠깐의 야유(바깥 놀이)를 즐기려다가, 얼마 안되는 경호원과 왕비만을 곁에 둔 채 움직이다가 이런 봉변을 당했다. 왕실 인원들의 움직임은 비공식적인 것이었고, 경호원들은 만전을 기울였지만 기적적인 틈을 노려 성공한 인질범의 행동이었다.

심지어 그는 총을 맞지도 않았다. 그의 뒤를 따르던 동료들은 다 어딘가를 맞고 널브러졌으나.

그래, 여기서 1000만 달러만 받는다면 모든 것이 성공적이었다. 다시 시작할 수 있었고, 이전보다 훨씬 괜찮은 삶을 살 수 있었다.

이건 누군가 자신에게 준 기회가 분명했다.

라고 인질범은 생각했다.

“빨리 보내. 지금부터 1시간 내에 아무것도 들어오지 않는다면 나는 방아쇠를 당기고 이 자릴 뜰거야! 찾아올 테면 오라지! 신원 확인도 하기 어려운 끔찍한 꼴을 보게 될 걸!”

어느 정부 부처의 회의실처럼 보이는 화면 너머의 인물들은 머리를 쥐어 잡고 고민을 하고 있었다. 조금만 기다려 달라, 진정하라, 원하는 것은 들어주겠다, 공주의 신변을 보장하라, 지금이라도 올바른 선택을 하면 선처가 기다리고 있을 거다… 온갖 종류의 회유책이 들려왔다. 다만 인질범은 오로지 천 만 달러, 숫자에만 올바른 대답을 들려 줄 생각이었다. 그 외의 모든 단서나 조건에는 오로지 매그넘의 방아쇠를 당길 뿐이다.

황량한 풍경이었다. 예전에 도시가 있었는지, 혹은 만들어지려다 만 건지. 사막과도 같은 배경에 모래 먼지가 불어오고, 말라 비틀어진 고목들이 뜸하게 서 있다.

석양이 지는 노을은 운치를 더했다. 누구도 감성을 느낄만한 사람은 없었지만 말이다.

“어.”

아주 오래 기다려서, 어색하게 말 문을 튼 음성같은게 들려왔다.

인질범은 그 자리에서 들리는 소리라고 생각하지 않았다. 여기는 공주도 있고, 폐건물은 가끔 구조가 뒤틀리며 음산한 착각을 할만한 소음을 내기도 하고, 무엇보다 연결된 영상 통화에서 소리가 났을 지도 모른다.

"음."

뒤에서 비교적 선명한 사내의 음성이 들릴 때야 인질범은 이상함을 느꼈다. 뒤를 처다봤다.

미친. 한 사내가 폐건물 안에 들어와 있었다. 아무렇지도 않다는 표정으로 웃어 보이는 사내는 동양인이었다. 인질범은 놀라움에 반응이 느려졌다. 공주와 그만 있어야 할 자리에 외부인이라니?

공주에서 다소 멀리 떨어진 자리에서, 심지어 손을 흔들고 있었다. 갑자기 나타난 사내는 재킷에 면바지를 입고 있었다. 때묻지 않은 하얀색 운동화가 이질적이었다. 패션 감각이라기보다도, 이런 황무지의 한 가운데에 보통 저런 신발이 깨끗할 수 없었다. 설령 차만으로 이동을 했다고 하더라도.

바람 한 번 불고 나면 먼지를 뒤집어쓰는 곳이다. 인질범과 공주도 땀과 먼지로 범벅이 되어 있었고.

인질범은 총기를 잘 다루는 사내였다. 지식적으로나, 사용에 있어서나 마니아였고 숙련자였다. 어린 시절부터 익혀 온 취미는 그에게 반사적인 행동을 선사했다.

쾅!

하는 소리가 났다. 권총에서 들리기에 어색할 정도의 소리다. 날아가는 매그넘 규격의 납탄은 그대로 폐건물의 콘크리트 벽을 뚫어 박살내고 날아갔다.

그 사이에 있어야 할 남자는 없었다. 분명 피를 흘리거나, 어디 사지가 한 쪽 결손이 되는 남자가 있어야 하는데.

인질범은 뒤돌아서 대각선 방향으로 쐈고, 인질범의 뒤쪽으로는 공주가 묶여 있었다. 기절한 것처럼 보였던 꼬맹이가 움찔거리며 경기를 일으켰다.

매그넘의 발사음은 폭음에 가까웠다. 익숙하지 않은 자가 근처에서 들으면 공격을 당한 것 같은 기분이 든다.

"으브으으브!"

덕테이프로 덕지덕지 붙여진 입에서 신음이 새어나왔다. 영상 통화 너머의 사내들도 거의 비슷하게 경기를 일으켰다. 이런 맙소사! 오 국왕 폐하! 하나님, 지져스 크라이스트!

어린 소녀의 고생과 괴로움은 영국 공무원들의 간담을 서늘하게 만든다. 통화 화면의 너머, 카메라가 잡고 있는 폐건물의 모습에서 갑자기 나타난 사내는 앵글 바깥에 있었다.

저들은 아직 무슨 일이 일어난 건지 파악하지 못했을 수 있다.

우웅.

인질범은 기묘한 소리를 들은 것 같았다. 식은땀이 흐르고 먼지로 범벅이 된 몸. 흥분이 가라앉지 않고 화약과 폭음으로 스트레스 지수가 올라간 상태에서 느껴지는, 기이한 소리와 진동이었다.

아니, 제대로 들은 게 맞나? 총성 때문에 귀가 먹먹한 상황에서 무언가 들리는 것도 이상한 일이다. 덜커덕.

"왓 더!"

인질범은 이번에는 반응이 빨랐다. 자신이 지금 유령을 보고 있나? 약 때문에 환각을 보는 건가? 일말의 의심이 들면서도 일단 들려오는 소리에 재빠르게 돌아보았다. 삼각대에 거치해둔 카메라가 앞으로 넘어졌다. 영상 통화의 장면이 막혔다.

-오 제발. 무슨 일이야. 천만 달러는 지금 보냈다네!

아직 켜져 있는 노트북에서 당황하는 움직임이 보였다. 바라마지 않던 대답이었지만 인질범은 계좌를 확인할 생각이 들지 않았다. 그의 눈 앞에는 갑자기 이동을 한 사내가 있었다. 아까까지 뒤 편, 그의 대각선 쪽으로 서 있던 사내가 소리도 없이 영상 장비들의 옆에 서 있었다.

사내가 매그넘을 든 빼근한 오른 손을 들어올렸다. 아니, 들어올리려 했다. 갑자기 나타난 외부인이 더 빨랐다.

우웅, 하고 이상한 소리가 들리는 것 같았다. 재킷을 입은 동양인은 마술처럼 눈 앞에서 사라졌다. 턱, 하고. 누군가가 아주 오랜만에 그의 어깨를 짚은 것 같은 느낌이 들었다. 마찬가지로 간만에 누군가가 귓가에서 속삭였다.

"이봐. 자네가 더 큰 잘못을 저지르기 전에 도와주도록 하지. 인생엔 가끔 여유가 필요한 법이야(Dude, I can help you to stop this shit. Every life needs a space.).”

친근하기 그지없는 말투였다. 인질범이 영국의 왕족을 인질로 잡고 매그넘을 들고 있는 데다가, 약간의 마약 기운까지 남아 있는 상태가 아니었다면 그 내용이 제대로 들릴 수도 있었겠다.

“Xxxx!”

보편적인 쌍욕을 뱉으며 인질범이 상체를 뒤틀었다. 다소 몸싸움을 해서라도 상대의 몸에 매그넘 총구를 박아넣고 방아쇠를 당길 셈이었다. 그는 힘이 아주 좋은 편이었고, 성공할 확률이 높은 머릿속의 계획이었다.

우웅.

그리고 그다음 순간 그가 바라본 건 마약을 할 때나 떠올릴 법한 상상 속의 상황이었다.

후와아악, 하고 거친 바람 소리가 들리는 것 같다. 그는 시야로 먼저 인식을 했다. 꿈인가? 수천 피트는 되어 보이는 상공이었다. 아래로 넓은 황야의 전경과 그 너머의 도시까지 보였다.

그리고,

몸이 중력의 영향을 받아 떨어지기 시작하자 절대 꿈이 아니라는 걸 확신할 수 있었다.

“으어어어어어어.”

바람과 저항 때문에 덜덜 떨리는 몸이 턱을 제대로 벌리지 못하게 만든다. 익숙하지 않은 사람의 프리 다이빙은 패닉에 패닉을 더한 것과 마찬가지다. 극한의 스릴은 심장을 거칠게 자극했다.

“커어어어.”

어떻게 된 일이지, 라고 인질범은 차마 생각하지 못했다. 떨어지는 몸의 감각이 자신의 정신을 일깨웠다. 자신은 고도 높은 상공에 혼자 있었다. 성대에서 말이 아닌 비명이 튀어나왔다.

바람에 나부끼며 방향이 이리저리 뒤틀렸다. 팔다리도 움직이면서 자세를 잡지 못했다. 몇 바퀴인가 빙글빙글 돌면서, 그는 정신을 잃기 직전까지 갔다. 사람이 떨어지는데 얼마만큼의 시간이 걸리는지는 모른다. 그는 아주 오랫동안 떨어지는 것처럼 느꼈다.

드디어 자신이 지옥에 온 것일까? 인질범은 찰나에 그런 생각을 했다.

멋대로 풀리는 손아귀에서 매그넘은 어느 순간에 날아가버린 지 오래였다.

사내는 떨어진다. 황야의 상공에서. 바닥으로.

죽음이 가까워 올 때 누군가 말을 거는 게 들렸다. 이미 몇 번을 돌아버려도 이상하지 않은 꼴이었지만 이상하게 말소리가 잘 들렸다.

턱, 하고. 떨어지는 그의 옆에서 누군가가 그를 잡았다. 그의 팔을 감싸듯이 단단히 잡은 누군가가 말하는 소리가 가깝다.

"바람 좀 쐬니 기분 좋지?"

이런 미친. 빠르게 다가오는 지상과, 변하는 풍경과, 거친 바람 소리와, 팔다리가 나부끼는 자유 낙하 속에서도 반박을 하고 싶어지는 말이었다.

그리고 다음 순간, 계속해서 반복되는 것 같은 작은 소리와 진동 다음에 그는 눈을 감았다 뜨는 것처럼,

어둠을 발견했고

"커헉!"

거친 숨을 토해내며 정신을 차린 곳은 땅바닥이었다.

으어어어억! 괴성을 지르며 인질범은 땅바닥을 짚었다. 자신이 아직도 떨어지고 있다는 생각에 팔다리를 저으며 움직였다.

철컥.

동양인은 인질범의 곁에 서 있었다. 그런 인질범의 휘젓는 오른팔을 잡아다가, 아무렇지도 않게 수갑을 꺼내 옆에 있는 철 기둥과 연결 시켰다.

철그덕. 인질범은 휘두르던 오른팔이 걸리는 것을 느끼며 주위를

처다봤다. 자신은 아직 살아 있었다. 몸도 멀쩡했다. 케찹이 되지도 않았다.

인질범과 동양인 사내가 나타난 곳은 어느 도시의 뒷골목 같은 장소였다. 건물과 건물 사이에 그늘져있고, 외부로 다니는 낡은 철제 계단이 있으며 대형 쓰레기통이 자리를 잡고 있는.

사위는 어둡다. 인조적인 가로등, 형광등 불빛만이 뒷골목을 채우고 있었고 하늘은 컴컴했다. 저녁 노을이 보이던 그곳과는 전혀 다른 곳인 모양이었다.

인질범의 오른팔은 철제 계단에서 튀어나온 비교적 얇은 철 기둥에 묶여 있었다. 사람의 힘으로는 도저히 끊어낼 답이 나오지 않는 구조물이었다.

사내는 실성이라도 한 것 같은 표정으로 그를 내려다보는 청년을 처다보았다. 동양인, 젊고, 깨끗한 옷차림에, 여유로운 남자가 웃으면서 말했다.

"기분 전환이 됐는가 모르겠군. 여기서 잠시만 머리 좀 식히고 있으면, 절차대로 처리해 줄 거라네. 마음만 바꿔 먹으면 언제나 또 견뎌 볼 만한 게 인생이야."

뒷말은, 이 영국 공주 납치범이 법의 테두리 안에서 겪게 될 고난에 대한 당부였다. 죄는 미워하되 사람은 미워하지 말라. 톨스토이의 명문이었다. 만일 범죄를 멈추고 사회적 합의 하에 대가를 치룬다면, 그에게 그 이상의 혹독함을 강요할 필요는 없었다. 그 또한 그 이상의 괴로움으로 스스로 생을 마감하지 않는 것이 바람직

했고.

동양인 청년은 눈빛이 영 돌아오지 않는 인질범을 뒷골목, 그러니까 런던 시내의 어느 인적 드문 자리에 내버려 두고

사라졌다.

귓가를 울리는 미약한 진동과 소리, 기이한 느낌에 인질범은 소름이 돋았다. 자신이 겪은 건 믿기 어렵게도 전부 현실이었다. 꿈이나, 환각이 아니라.

2.

동양인 청년. 최길우는 단 한 번의 도약으로 다시 폐건물에 도착했다.

그는 '조직'의 일원이었다. 세계에, 세상에 온갖 조직들이 많이 있었지만 이런 능력을 발휘하는 자들을 테두리에 넣는다면 조직은 보통 하나를 의미했다. 유일무이한 점퍼들의 조직. 조직의 다른 이름은 없었다. 그저 일반 명사로 알려지고 불릴 뿐이었다. 굳이 구분을 한다면 점퍼 조직이라고 의뢰자들이 부를 뿐이다.

최초에 한국에서 설립되었다고 하는 조직은 한국인 비율이 압도적으로 높았다. 뭐 국적이 중요한 건 아니었지만.

조직에 있어서 중요한 건 조직의 점퍼들이 일정 수 이상 유지되는 것과 단합이었다. 한 가지 목적과 목표를 두고 움직일 수 있는,

통일된 점퍼들의 무리. 약 20명 이상의 점퍼들이 그렇게 움직이며 사회적 단체들과 커뮤니케이션을 하고 활동할 수 있다면, 정말로 수많은 사건과 난황들을 해결할 수 있었다.

그리고 난동을 부리듯 튀어나오려 하는 싸이코 같은 점퍼들을 제어하는 데도 적어도 그 정도의 숫자들이 필요했고 말이다.

외부 인력의 도움과, 점퍼 인력의 숙련도에 따라 어느 정도 변동은 있었지만 기본적인 조직의 필요 요건은 그 정도였다.

'점프'라는 사회적 통제를 뛰어넘는 능력을 가지고서, 악한 유혹에 휩쓸리지 않고 상식적으로 행동을 할 의지를 가진 자.

점퍼로서, 자신의 삶을 망가뜨리고 사회와 자신에게 큰 상처를 내기 전이라면 의외로 어렵지만은 않은 조건이었다.

그래서 조직에서 각국의 연계를 통해 가장 중점적으로 하는 일에는 새롭게 능력을 자각하는 점퍼를 파악하고 빠르게 접촉하는 일이 있었다.

점퍼는 능력이었지만, 인간성은 스스로 선택하는 것이었다. 도구가 있다고 모두가 칼을 휘두르지는 않는다. 도구가 없어도 주먹을 휘두르는 이나, 혹은 그럴 때도 있다.

점프의 능력으로 무언가 하는 것보다 인간성에 대한 선택을 하는 것이 더 중요하고 다루기 어려운 일이었다. 점퍼 조직은 어린 나이의, 점퍼들을 찾는데 주력했다.

모든 독립적이고 능력을 개발한 지 오래된 점퍼가 범죄에 손을 대는 건 아니었다. 그러나 그런 비율이 많은 건 사실이었고, 그런 그들을 사회에 복귀시키는 데는 많은 시간과, 인력과, 비용이 든다.

흉악한 야생의 맹수와도 비슷한 것이었고, 그런 이들을 상대하다가 조직의 많은 구성원들이 부상을 입었다.

대對점퍼 전투 요령이 체계화되기 전에는 많은 이들이 죽기도 했다. 언제나, 소드 마스터, 홍인수같은 자들이 조직에 있는 건 아니었기에.

최길우는 소드 마스터같은 별명은 아니었지만, 그래도 개중에서는 단독 전투가 가능한 정도로 대인전 능력이 뛰어난 인원이었다. '리시버receiver'.

지휘관이 그에게 붙여 준 코드 네임이었다. 조직을 운영하는 시야에서 보면 온갖 나라에서 날아드는 위기 상황들은 공격자의 서브처럼도 보이는 법이었다. 혹은 지휘관의 관점에서 적절한 장소와 때에 급하게 건네주는 임무를 받을 자가 필요하기도 했고. 어쨌건, 그런 타이밍에 맞춘 단독 임무 수행이 가능하다는 점에서 받은 별명이었다.

최길우는 침착하고, 이성적인 편이다. 판단하는 머리가 빠르고, 급박한 상황 속에서 여유로운 배짱도 있었다. 대인전 능력이나, 현대화기에 대한 이해나 사용도 능숙했다. 총에 대한 이해나 친숙도가 높다면, 점퍼로서는 피하는 것도 가능했다.

더군다나 모든 조직원들을 통털어 가장 정밀하고 계산적인 도약이 가능한 인물이었다. 그야말로 극소 단위의 타이밍과 거리로 사람의 생사가 갈릴 수 있는 현장에서, 그의 정확함은 도리어 구조 작전 따위의 남다른 과감함으로 발휘될 수 있었다.

아까도 무엇보다, 공중에서 떨어지는 대상을 정확하게 맞추어서 이동을 해 그 몸에 여유롭게 손을 대기까지 했다. 보통 모든 점퍼가 순식간에 할 수 있는 일은 아니었고, 약간의 착오가 있어 꼴사나운 난항을 겪기도 했다. 그게 아니라면 더욱 도약의 준비 단계에서 시간이 걸리거나.

도약 자체는 순간이었지만, '어디'로 정확히 움직일 것인가는 계산이 필요한 문제였다.

그는 구조 작전 따위에 특화된 스페셜리스트였다.

최길우, 리시버는 폐건물에서 아마 진이 빠져 쓰러진 것 같은 공주에게 다가갔다. 어린 여자아이는 활기차지만, 극한의 상황에서 쉽게 탈력감을 느끼기도 한다. 아마 오래도록 인생에 있어서 깊은 기억으로 남고야 말 하루를 보냈을 테니, 마음으로 소녀를 위로하며 그 머리에 손을 얹었다.

점퍼들이 도약을 할 때는, 점퍼마다 일정한 신호를 두기도 한다. 소리나, 행동. 단어를 떠올리거나 말하는 일일 수도 있었다. 일정한 정신 상태를 유도하는 노하우이기도 했다. 정신이 어수선할 때는, 나름 도움이 되기도 한다.

극한의 난전亂戰에서는 그럴 수 없었지만, 여유가 있다면 습관적으로 그렇게 했다. 보통 많은 이들은 손가락을 튕기며 마술에서

처럼 소리를 냈다. 듣는 이를 집중시키기에 좋은 종류의 소리다. 그것을 내는 스스로가 듣기에도.

딱.

점퍼의 근처, 미세하게 공기가 일렁이며 소녀와 함께 그가 자취를 감췄다.

폐건물에 황량한 바람이나, 짙게 하늘을 내리 채우는 석양이 남았다. 보는 사람은 없었다. 그 자리의 미세한 소음에 귀 기울이는 자들은 있었다. 넘어진 비디오 너머로, 영상 통화가 끊기지 않았다. 부처의 실무자나, 현장 지휘자들은 몰랐으나 총리나 그 바로 아래 단계의 장관들은 정확한 상황을 인지하고 있었다.

공주가 느닷없이 납치된 어이없는, 불행한 쪽으로 기적적인 사태 속에서 아주 유용한 조직이 의뢰를 받아 움직였음을.

런던의 낮, 뒷골목에 묶인 인질범은 연락이 닿은 영국 쪽 인원들이 움직여 수거할 테였다. 정신을 잃은 어린 공주는 다른 왕실의 가족들보다 한발 먼저, 영국으로 돌아가 안정을 취하게 되었고.

3.

최길우는 고단한 일정을 마치고 조직의 기지에 돌아왔다.

미국 시간으로 저녁, 한국 시간으로 아침. 공주를 집으로 돌려보내고 마약쟁이 인질범 하나를 런던에 보내주었다. 보통은 한국 시간에 맞추어 일정을 보내는 그로서는, 꼭두새벽에 연락을 받고 움직이는 일이었다.

'기지'의 위치는 한국은 아니었다. 그러나 각 요원들이 개인의 패턴에 맞추어서 다른 시간을 보내고 있었다. 보통은 요원의 출신국 시간으로 맞추거나, 혹은 가장 인원이 많은 한국 시간으로 통일하는 경우가 많았다.

기지는 제법 공간이 넓었고, 요원들 모두가 쾌적한 아파트 단지에서 사는 정도의 여건은 보장해줄 수 있었다. 기지에 상주하는 점퍼 요원이나 일부 비점퍼 요원들은 개인실이 주어졌고, 다른 이들은 둘에서 넷 정도가 함께 생활했다.

식당, 사우나, 운동 시설과 훈련 시설. 그 외 연구 시설과 치료 시설 등으로 이루어진 본부는 어지간한 초고층 빌딩의 공간보다 넓을지 몰랐다.

길우는 자신의 방에 잠시 몸을 눕혔다. 타국에서 벌어지는 상황이라 호출에 낮밤이 없는 건 알고 있었지만, 자신도 잠은 자야 했다. 간단하게 씻고, 옷을 조금 갈아입고, 자다 깬 만큼 다시 눈을 붙인다.

그의 방은 기지 내 모든 공간이 그렇듯, 하얀 톤의 심플한 구조였다. 가구도 기본적으로 제공되는 것에서 딱히 손을 대지 않아서, 흰 침대와 옷장. 욕실과 간단한 조리가 가능한 부엌대, 냉장고, 테이블과 의자가 전부였다. 그 외 개인 짐은 커다란 캐리어에 몇 개에 쑤셔 넣고 풀지도 않고 있었다. 장기 임무라도 걸리면 바로 들고 이동할 수 있도록.

여담으로, 점퍼의 도약에 무생물의 이동은 어느 정도까지만 가능했다. 점퍼 자신의 신체 질량보다 무거운 것을 가지고 움직일 수는 없었다. 거리에는 제약이 없었고, 몇 명을 데리고 움직이던 도약의 횟수는 동일하게 1회가 소모되었지만 그런 한계는 있었다.

사람과의 단체 도약처럼, 물건을 가지고 이동할 때는 손에 쥐는 등 몸에 닿아 있을 필요가 있었다. 점퍼의 도약 시에는 미세한, 미지의 에너지가 흐른다. 그 에너지는 점퍼의 몸을 시작지로 두고 찰나에 조금 움직였다. 몸에 걸친 옷가지 정도는, 대개 아무리 두껍게 입어도 누락 없이 이동이 되었다. 방탄복 등의 둔한 특수복 따위도 마찬가지였고.

단체 도약의 경우에도, 도약의 참여자를 기준으로 미세한 반경이 점프의 범위로 들어간다. 단체 도약자가 점퍼가 아니라면 그가 쥐고 이동할 수 있는 건, 몸에 딱 붙이고 든 개인용 화기 정도가 한계였다.

간혹 물류 목적으로 도약을 이용할 때가 있었는데, 물건을 소형화시킬 수 없을 때는 여러 명의 점퍼가 접촉을 한 뒤 단체 도약을 시도했다. 점퍼가 운반 가능한 질량 한계는 누적이 가능했고, 여럿이 능력을 소모한다면 거대한 물건도 한 번에 옮길 수 있었다.

아무튼 리시버의 방은 단출했다. 인테리어에 관심 없는 인원이나, 비어 있는 방들은 전부 같은 구조와 배치였다. 약 10평에 가까운 공간은 혼자 살기에 충분하다.

삐리릭.

얼마 지나지 않아서 소음이 들렸다. 기지의 기준 시간(한국 시간)으로 9시 경이었다.

-호출. 리시버. 지휘관실. 확인후 즉시. 강력.

“푸.”

그는 헛바람을 내뱉으며 움직였다. 쉴 틈이 많지 않았다. 가급적이면 개인에게 연속해서 긴급 상황이 주어지지 않도록 조절 하는 게 수뇌부의 일이었는데, 간혹 몰릴 때가 있었다. 그처럼 특정 임무의 특기자라면 더욱 자주 그러는 편이었고.

마른 세수를 하고 상의 옷 하나를 안에 덧입었다. 무게를 다소 줄인, 신식의 방탄복이었다. 그것만 챙겨입곤 곧바로 이동했다. 기지 내 도약이었다.

“여.”

지휘관실은 여느 기업의 회의실 정도의 크기였다. 실제로 회의실을 겸하기도 한다. 방의 안 쪽 중앙에 떡하니 테이블을 차지하고 앉아 있는 이가 지휘관이었다. 점퍼 조직의 주인은 아니었으나, 적어도 관리자나 계획자 정도는 되었다. 위기 상황에서 소규모 집단의 리더는 종종 직책 이상의 의무나 권리들을 감당해야 하기도 했지만.

지휘관실의 내부는 다른 기지의 장소들과 다르게 조금 어두운 톤의 인테리어다. 불빛 자체도 그리 밝지 않은 편이었고. 비밀스런 작전 회의를 하기에 좋아 보이는 분위기다. 어둡고, 푸른 계열의 불빛이 방안을 채웠고 지휘관이 앉은 테이블 뒤쪽 벽에 빔 프로젝터가 화면을 띄운다.

갈색, 어둡고 묵직한 톤의 가구들이 배치된 곳에 리시버가 나타나자 지휘관이 입을 열어 반겼다. 리시버가 물었다.

"강력 범죄입니까. 어디입니까. 지금 시간이면… 밤인 곳이 어디지…."

피곤이 묻어 있는 목소리나 표정이었다. 잠에서 깬 지 얼마 되지 않은 탓이나. 지휘관은, 머리가 약간 벗겨진 남성이었다. 눈매가 부리부리하고 시원스럽게 생긴 사람이다. 짓궂은 표정을 늘 잘 지어 보이고, 조직원들을 아끼는 편인 인물이었다. 장년의 남성.

지휘관이 답했다.

"아침 햇살을 맞으면서 범죄를 저지르는 놈들이 있다네. 자네도 상쾌하게 처리하고 오도록 해. 한국이야."

한국 시간으로 오전 9시를 조금 넘어서는 때. 어느 지방에서 자금난에 시달리던 범죄 조직이 은행을 털려고 시도했다. 인질범 다음엔 은행 강도였다. 직전에 인질범은 상대한 건 시간적으로는 짧은 일이었지만 심력을 소모하는 일이었다. 미치광이를 상대할 때는, 자신의 정신도 얼마간 그 미친 상태에 들어가는 거나 마찬가지였다.

또한 보호해야 할 대상들이 있다면 그런 상태에서 극한의 집중력이 요구되었다. 늘 실수 없이 해내곤 하지만, 더욱 그래야 한다는 부담감이 그에게 괴로움과 힘을 동시에 주었다.

그는 하루에 두 탕을 뛰게 되었다. 리시버로서, 여러가지 일을 맡고 있지만 순간적인 부담감은 때로 조직에서 가장 높아지기도 한다. 두 번째 일은 생각보다 자주 겪는 종류였다. 은행 강도들이 직원들과 소수의 시민들을 인질로 잡고 아침부터 돈을 빼돌리려 한다.

치안 수준이 높은 이 나라에서 참으로 어려운 선택지를 고른 이들이었다. 적어도 그들이 일을 마치고 돌아가는 길에 잡히리라 예상되었지만, 그보다 더 빠르고 안전하게 상황을 종료시킬 의무가 길우에게 있었다.

그는 대략적인 내용과, 정확한 위치 좌표, 그리고 실내 상황에 대한 영상 자료를 받아보았다. 자신이 움직일 만큼은 충분히 숙지되었다고 판단된 순간, 곧바로 움직였다.

제일 좋은 건 실시간으로 보이는 해당 장소의 시각 자료였다. 없다고 해도 다소 시간이 걸리고 위험도가 느는 것뿐이었지만.

"고생하게."

지휘관실에서 선 채로 자료를 탐독하고 사라지는 그에게 지휘관이 지나가는 말처럼 이야기했다.

길우. 리시버. 최길우. 어릴 때부터 최키라웃, 제길 우, 최기랄, 죄길공명 등 다양한 별명을 가져온 그는 리시버라는 코드 네임이

제법 자랑스러웠다. 그의 능력이나 의지를 요약해주는 고마운 단어처럼 느껴지기도 했고.

그는 복잡한 상황이 해결되는 걸 좋아했다.

금세 잠이나 피곤을 털어내고 집중한 그가 도약한다. 도약 시의 미지의 에너지가 몸 주위에서 약동한다. 눈 깜짝할 사이에 그는 지방 도시의 어느 은행 시설 안에 있었다.

"?"

인질범과 그리 크게 다르지 않은 인상착의였다. 얼굴을 검은 천인지, 양말인지, 복면인지로 가린 여러 명이 있었다. 손에는 권총이 들려 있다. 그를 알아챈 건 바로 곁에 서 있던 강도A였다. 나머지는 인지하지도 못했다.

툭.

그는 손을 짚고 그대로 도약했다. 말은 필요 없었다. 그가 강도들에게 선사한 건 해당 위치에서 가까운 바닷가였다. 바닷물 표면에서 약 3m 정도 위. 강도가 상황을 파악하지 못하는 새 그가 다시 사라졌다.

그대로 한 명씩, 여건이 된다면 두 명씩, 사이좋게 어깨에 손을 대고 근처 바다로 단체 도약을 했다. 아마 높은 확률로, 강도들의 완전한 성공은 어려운 일이었을 테지만. 그의 등장으로 은행 강도들의 계획은 그 초반 부분에서 무너지고 말았다.

일곱이나 되는 인원을 재빠르게, 틈을 주는 새도 없이 연속으로 도약을 해 바다에 빠뜨렸다. 넉넉잡아 분 단위로, 그들이 힘이 빠질 때 즈음이 되어서야 확인을 하고 뭍으로 건져 올렸다. 물밑으로 가라앉고 있다고 해도 상관은 없다. 시야에만 보인다면 점퍼의 핀포인트 도약의 범위 안이었다. 같은 식으로 재난 상황에서 구조도 조금이라도 보이는 곳에 있다면 손쉬운 일이다.

도약은 어떤 점에 있어서는, 자연스러운 현상이었다. 사람의 몸이 닿아도 크게 이상이 없는 것들. 물이나 공기. 사람을 품을 수 있는 매질들 안에서는 저항 없이 이동이 되었다. 고체 종류나, 혹은 살아있는 생명체가 있는 자리로는 도약이 시도조차 잘되지 않는다.

점프에 법칙이 있는지도 몰랐고, 혹은 그것을 사용하는 점퍼가 초감각적인 본능으로 그것을 거부하는지도 몰랐다. 바위틈 사이로 도약을 하는 모습을, 정상적인 사람으로서 잘 상상을 하지 못하는 걸지도.

은행원들과 손님들을 겁박하고 은행을 털려던 이들은 그렇게 물먹은 솜 같은 꼴이 되어서 검거되었다. 사람들은 다친 이 없이 집으로 돌아갔다. 경황이 없어 보지 못한 이도 있었고, 개 중에는 점프를 목격한 이들도 있었다.

점퍼가 연계된 선진국 중에는 한국이 포함되어 있었고, 그의 도움을 받아 움직이는 정부 관계자들은 이런 경우의 시민들에게 안정을 주면서 비밀 엄수의 계약 동의 따위를 얻는다. 그들이 설령 말을 하더라도 강제적인 조치를 취하지는 않겠지만. 또 어딘가에 퍼뜨린다고 하더라도, 현대 사회의 사람들은 그저 누군가의 거짓말로 취급할 테였다. 증거도 없이 초능력에 대해 말을 하는 것이었으니.

인질범과 은행 강도를 몇 시간 내에 처리를 하고자 하니, 최길우로서도 한계에 가까웠다. 미치광이 범죄자나, 극한 상황에 몰린 인간 군상들과 마주하는 건 큰 스트레스다. 그들이 총을 들고 있다면, 점퍼라곤 하지만 피격 확률이 0인 것도 아니었다.

강력 범죄에 관련된 임무를 할 때는 보통 방탄복을 챙겨 입는다. 움직임이 조금이라도 느려지는 게 싫은 상황에서는 가볍게 입고 가기도 하지만. 상대가 여러 명일 때는 그로서도 피격에 대해 신경 쓰지 않을 수 없었다.

점퍼는 특수 능력을 가졌을 뿐, 나머지는 일반적인 이들과 다를 바 없는 이들이다. 손쉽게 다치고 깨지고, 두렵고 긴장감을 느낀다. 잘 써먹을 수 있는 치트키 같은 능력이 있지만 활용에 미숙하다면 곧바로 외줄타기에서 떨어지는 재주꾼처럼, 언제 큰 부상을 입을지 모르는 상황이었다.

그는 조금이라도 피로를 줄이기 위해 기지로 돌아와 간단한 보고를 마친 뒤, 다시 방에 돌아왔다.

이제는 정말로, 잠깐 좀 눈을 붙이고 싶었다. 설령 잠을 자지 않더라도.

*

“어서오세요.”

민서는, 여상스럽게 인사를 했다.

오후의 편의점. 손님들이 많이 드나드는 지점의, 많이 드나드는 시간대였다. 집에서 얼마 떨어지지 않은 곳이었다. 청량리의 반지하에서, 버스를 조금 타고 가면 있는 근처 동네. 대개의 편의점이 그렇지만, 찻길이 근처에 있고 오가는 행인들이 많이 물건을 사러 들어왔다.

또한 대개의 편의점이 그렇듯, 바깥이 훤히 보이는 통창 너머로 오후의 햇살이 따사로웠다. 실내는 늘 등을 켜놓고 있었지만, 바깥에서 들이치는 햇빛이 광량을 더하고 노동 중의 한가로움을 주었다.

낮이라고 늘 손님이 있는 건 아니다. 사람이 몰릴 때도 있고, 없는 타임도 분명히 있었다. 그렇게 다소 넋을 놓고 바깥은 바라보다가, 누군가 들어옴에 반사적으로 인사를 했다. 민서는 나름대로 훤칠한 체격이다. 편의점의 유니폼 조끼를 걸치고 계산대에 서 있었다.

들어오는 이는 한 사내였다.

”여. 히사시부리.”

손을 들며 괴상한 인사를 하는 인간이 들어왔다.

늘 깔끔하게 다듬어진 양복을 입고 다니는 사내. 다소 어두운 톤의 상 하의에 안에는 붉은색 셔츠를 입고 목 주위는 푼 차림이었다. 또각거리며 걷는 구두 역시 명품의 종류 같았다. 겉이 반짝이며 촌스럽지 않은 광택을 낸다. 손목에는 역시 비싸 보이는 금빛의 시계.

이목구비가 훤칠한 미남, 홍인수였다.

"억."

말이 되지 못한 소리가 먼저 성대에 걸려 어설프게 튀어나왔다. 아니 물론, 상대의 자유가 있는 법이었지만 이곳에서 볼 줄은 몰랐던 면상이었다.

"거, 썩 반가워 보이지 않는 얼굴입니다?"

홍인수가 뻔뻔할 정도로 시원스럽게 웃으면서 말했다. 물론 민서가 그에게 악감정은 없었다. 악감정은. 다만 몸이 기억하는 고통이 있을 뿐이었다. 그가 어딘지도 모르는 기지와, 한국의 서울, 청량리의 자취방을 오가며 훈련(고문의 강도)을 일삼은 지도 어느덧 몇 주가 지났다.

그동안 민서는 자신의 체력의 한계를 알아볼 수 있었고, 사람의 신체라는 게 꽤나- 많은 고통을 당해도 부서지지 않는다는 것도 알았다. 그리고 극한의 상황이 계속되면 살기 위해서라도 운동을 하게 된다는 것도.

굳이 따져서 비슷한 걸 찾아보자면… 지독하게 굴림 당했던 군대 선임을 만났을 때 오는 PTSD와 비슷했다. 분명 거리낄 게 없지만 왜인지 모르게 자동반사되는 기억들.

"여긴 어쩐 일로……."

굳은 채로 가만히 있던 민서가 입을 열었다.

홍인수는 다가오며 적당한 물건을 하나 집었다.

"요새 잭이 망가졌는데 편의점 게 오래 쓸런지 모르겠습니다."

판매대에서 스마트폰용 충전 잭을 집어든 그가 계산대에 올려두었다.

"별 일은 아닙니다. 그냥 갑자기 보고 싶어져서."

민서는 얼굴을 구겼다.

"거 두 번 보고 싶었다간 사람 심장 떨어지겠습니다."

한가한 평일 오후에 마주치기에는 놀랄만한 얼굴이었다. 홍인수의 인상이나, 그의 잘못이라기 보다는, 언제나 그를 만날 때 갑작스러운 돌발 상황이 함께였던 탓이다. 처음 그를 본 게, 점프라는 걸 알지도 못한 때 갑자기 삶에 난입한 괴한으로여서 더 그럴지 모른다. 더군다나 세번 째는 칼을 든 진짜 괴한과 함께 나타난 모습이었고.

일상과 다른 당황스러움과 놀라움의 대명사같은 존재였다. 그에게 홍인수는.

홍인수가 입을 열었다.

"어째, 요즘은 별일 없습니까? 살면서 저희 같은 이상한 놈들은 또 마주친 적 없겠죠? 여태 조직의 연구소에서 당신의 전 자취방을 검사했는데도 특이사항을 못 찾았습니다."

삑. 민서는 홍인수의 말을 들으면서, 성실한 편의점 아르바이트생의 자세로 물건을 바코드기에 찍었다. "어… 5,000원입니다. 별일은 없는데요." 그렇게 대답하면서 덧붙였다.

"오늘 댁이 나타난 게 요 근래 있었던 것 중 가장 별 일입니다."

4월 27일. 수요일이었다. 별안간 자취방에 들이닥친 괴- 능력자에 의해 다양한 구경을 하고, 기이한 조직의 기지에 들어갔다가 온갖 육체적 고통을 느꼈지만 평일의 일상에 남다른 일은 없었다. 덕분에 좀 더 넓고, 깨끗한 신식 빌라의 원룸으로 이사간 것도 나쁘지 않은 일이었다.

홍인수가 그에게 설명해주며 말했듯, 조직은 꽤나 괜찮은 규모의 자본을 소유하고 있는 모양이었다. 자신 같은 별 관련도 없는 피해자에게까지 이 정도로 친절한 자본적 수혜를 베풀다니. 홍인수가 '뺑소니', 라고 표현한 사건이(점퍼가 의도치 않게 민간인과 마주치는 경우를 말함. 보통 문제 없지만, 간혹 도약 과정의 실수로 면전에서 마주치는 드문 경우)얼마나 자주 있는 건진 알 수 없었으나… 그로서는 체감상 큰 혜택이었다.

난방도 잘 되고, 바람이 새어 들어오는 곳도 없었고. 빌트인 된 가구나 세탁기도 신식이었다. 무엇보다 본래 월세를 초과하는 부분은 조직에서 전액 감당해주기로 해서, 난방이나 전기를 마음껏 쓸 수 있는 것도 소박한 행복이었다. 관리비나 냉난방비도 초과분에 포함되는 모양이었다.

'카드로 할게요.' 홍인수는 안주머니에서 카드 지갑을 꺼내 건네며 말했다.

"반복되는 일정 현상에는 이유가 있게 마련입니다. 우리는 그 원인이 당신 방의 위치라고 생각했는데, 만일 그게 아니라면 당신에게 무언가 있다고 생각해 볼 수 밖에 없습니다. 잘 생각해 봐요."

홍인수가 목소리를 다소 깔며 물었다.

"여태 살면서 점퍼를 마주친 일이 한 번도 없습니까? 희미한 기억 속이나, 혹은 일부러 잊은 기억 속에서라도."
"…그게 무슨 말입니까."

라고, 말을 하면서도 민서는 반사적으로 머릿속으로 지난 날을 돌아봤다.

점퍼. 순간이동.

말도 안 되는 일이었다. 잊을 수 있는 종류의 일도 아니었고. 아주 어릴적을 제외하면, 상식이 존재하는 순간부터는, 어떤 식으로든 깊은 인상이 남아 삶에서 분리할 수 없는 기억이 될 테였다.

혹은, 자신이 순간이동이라고 인지하지 못했지만 목격했을 수도 있다. 혹시 그건가? 어렸을 때 어떤 아저씨를 눈으로 쫓다가 잠시 놓쳐서, 다시 걸으며 바라보니 사라져 있던 기억. 아니… 그런 기억까지 친다면 분간할 수 있는 기준이 전혀 없었다. 순간 이동이라….

그가 알기로 그런 일은 없었다. 그도 알지 못하는 사이에 일어났을 지라도.

"…없습니다. 제가 알기로는요. 그런 일을 보통 사람이 잊을 수 있겠습니까?"

홍인수는 계산이 끝난 상품을 손톱 끝으로 토도독, 두드리며 말했다.

"…뭐 좋습니다. 정말로 없는 거거나, 기억이 없거나."

카드를 포장된 충전기 잭의 종이 팩을 재킷의 안주머니에 챙기며 입을 열었다.

"혹은 감추는 거라고 해도."
"…."

민서는 아주 약간, 심기가 불편했다. 감춘다, 라. 내가 그들에게 거짓말을 할 이유가 있나? 물론 아주 이질적이고, 서로 다른 처지이기는 했다. 그래도 서로 간의 어느 정도 신뢰를 쌓아가는 관계라고 생각했는데. 점퍼고 뭐고, 사람 대 사람으로.

“일단 가끔은 염두에 두어야 합니다. 애초에 당신한테 단체 도약에 관한 재밍이나, 전 방위에서 뻗어오는 공격에 반응하는 법을 알려주는 것도 어떤 싸이코 같은 점퍼가 다가올 지 몰라서 하는 일이에요. 원하든 원치 않든, 세 번이나 점퍼의 도약이 당신 앞으로 유도 되었습니다.”

홍인수, 소마는 말을 잠시 멈추었다가 이었다.

“적어도 제가 점퍼로서 도약을 실패하는 일은, 수십만 번의 한 번도 있을까 말까 한 일입니다. 그게 고작 한 달 내에 세 번이라니. 명백하게 제가 인지할 수 없는 인자에 의한 유도입니다. 그리고 세 번 일어난 일은,”

홍인수가 말한다.

“앞으로 몇 번이던 다시 일어날 수 있습니다. 그때 당신 앞에 있는 사람이 어떤 의도를 가진 점퍼일지 알 수 없는 거고요.”

점퍼Jumper.

이 사회에 살아가는 비상식적인 인자를 일컫는다. 김민서는 솔직히 말해, 그런 그들과 얽히고 싶지 않았다. 조금도 관계성을 만들고 싶지 않았다. 그는 그저 무엇을 해서 벌어먹고 살까, 막막하던 20대일 뿐이었다.

고작해야 남은 저금으로 식비를 충당하고, 광열비나 핸드폰 비를 내고, 저금이 떨어져 괜찮은 아르바이트 자리를 찾아다니던.

그 정도의 고민을 하던 그에게 나타난 거대한 조직은 솔직히 큰 부담이었다. 김민서는 일상적인 고민들의 틈바구니 속에서 자신의 삶을 다루고 싶었다. 자신이 알지도 못하는 어떤 거대한 세계에 발을 들여놓는 건, 취향은 아니었다.

김민서가 아주 마뜩찮은 표정으로 고개를 끄덕거렸다.

"…카드 받아 가시죠."
"……."

홍인수가 마찬가지로 아주 떨떠름한 표정으로 카드를 뽑았다. 그가 카드 지갑에 돈깨나 쓸법한 멋들어진 신용 카드를 넣었다. 자세히 알 수는 없었지만, 점퍼 조직은 영 빈궁한 집단은 아니었고 홍인수는 그런 단체의 핵심 인물이었다. 나름대로 높은 연봉이나 수당을 받는 듯했다.

홍인수가 입을 열려 했다.

딸그랑.

편의점의 유리문에는 작업 중에도 손님을 맞이할 수 있도록 종으로 된 알람이 있다. 홍인수가 들어올 때도 난 소리였다. 자연스럽고 반사적으로 김민서는 출입구를 보며 인사했다.

"어서오세요."

깔끔하고 숙련된 인삿말이 왜인지 모르게 홍인수의 심기를 불편하게 했다. 그는 새롭게 들어와 물건을 고르는 어떤 아가씨의 눈치를 보며 말했다.

“아무튼. 경각심을 갖고 대비하라는 말입니다. 우리도 시간과 자원이 무한하지는 않아요. 가급적이면 당신이 다치지 않기를 바라지만. 스스로 준비해서 나쁠 건 없습니다. 만일 그런 일이 의사와 상관없이 반복된다면 우리는,

당신을 스카웃해서 고용할 용의도 있습니다.”

듣던 중 반가운 소리였다. 민서에게 있어서 당면한 주된 과제는 뭐 먹고 살지, 라는 의문을 해결하는 일이었으니.

‘그리고…’

홍인수가 뭐가 많이도 들어가고 나오는 양복의 안주머니에서 손바닥 안에 딱 들어가는 무언가를 꺼냈다. 검은색의 폴더폰이었다. 아주 구형에 뚱뚱한 종류. 대신 크기가 시중에서 볼 수 없던 소형이라 불편해 보이지는 않는다.

“받아 두십시오. 죽을 정도의 위기나, 혹은 그 세 번 일어났던 일이 다시 일어난다면 열어서 아무 버튼이나 눌러요. 어차피 다 똑같은 신호가 우리 쪽으로 오니까. 위성 통신이니까 아무 데서나 편하게 쓰고, 기기 배터리만 충전 잘 해주고.”

김민서는 일단 쥐여주는 피쳐폰을 받았다. 전문가가 주는 걸 마다해서 좋을 건 없었다. 그가 만일의 사태가 일어나는 것에 대해서 심각한 거부감과, 정신적인 방어기제를 갖고 있다고 해도. 물리적으로 도움이 될 수 있는 물건을 가져두어서 손해볼 일이 없었다.

"…고맙습니다. 잘 쓸게요."

김민서가 고개를 꾸벅, 숙였다. 홍인수가 미약하게 고개를 끄덕였다. 작은 미소라도 입가에 있는 듯도 했다.

"예, 아무튼. 이런 일까지도 가능하다면 처리 하는게 저희의 업무입니다. 가능한 한이요. 조직의 자원이 무한하지는 않으니."

홍인수는 당부의 말처럼, 몇 마디를 더 남기곤, 계산대를 똑똑 두드리며 편의점을 나섰다. 민서는 여상스럽게 뒷모습에 인사를 했다.

"안녕히 가세요. 오늘 하루 잘 보내시고요-."

인삿말과 동시에, 기다렸다는 듯 물건을 고른 여성 손님이 다가왔다. 민서는 그들이 이야기 하는 걸로 손님에게 눈치를 주었는가, 불안하게 살피며 바코드기를 들었다.

*

점퍼 조직, 은 점퍼들에게 있어서 불길한 이름이었다. 대부분의 독립적인 점퍼들이, 합법과는 거리가 먼 삶을 살아간다는 점에 있어서 사실 정말 불길한 건 조직 외의 점퍼들일 지도 몰랐지만.

어쨌든 '조직'이라고 불리는 그 이름은 점퍼들에게 알음알음 알려지는 전설 같은 이야기였다. 사실 그것이 존재함은 누구나 알고 있었다. 점퍼로서 사회에 영향을 미치는 일을 하고, 어딘가에 드러날 정도로 움직이려 할 때는 보통 '조직'의 방문을 받게 된다.

점퍼들이 서술하는 방문자의 외향은 겹칠 때가 많았다. 그들은 그 방문자의 노련함과, 언뜻 인간처럼 잘 보이지도 않는 무력적인 강력함 때문에 조직에 대한 두려움을 키운다.

조직의 실체에 대해서 제대로 아는 사람은 외부에는 없었다. 적어도 조직 외의 점퍼들 사이에서는.

모든 사람을 범위에 넣는다면, 조직에 실질적으로 도움을 주고 의뢰를 주고받는 각국 정부나 거대 단체들의 수뇌가 가장 실체에 가까운 정보를 알고 있었다.

그 외에는 그저 막연한 짐작이었다. 철저한 기밀 유지와 이미지를 유지하는 것. 점퍼 조직은 점프라는 능력을 제하고서도, 엘리트에 가까운 조직이었다. 누구나 순간 이동을 할 수 있다는 것만으로 그들이 해내는 모든 의뢰와 임무들을 완수하지는 못한다.

더욱이 그런 높은 수준의 성공률과, 적은 사상자 발생이라는 조건을 단다면 말이다.

오래도록, 명확한 목표와 목적 의식을 갖고 주입식 교육을 때려 박은 효과이기도 했다. 내부적으로는 말이다.

맨 처음 근대, 점퍼 조직이 만들어지기 전에 사회는 어수선했다. 온갖 세계가 격변의 소용돌이 속에서 몸살을 앓고 이런저런 고통스런 사연이 난무하던 시절. 조직이나 기록화된 자료에서 보이는 최초의 점퍼들의 흔적은 그 즈음이 시작이었다.

그 시대적 혼란 속에서 점퍼들이 움직였다. 지금처럼 제대로 된 기계식 감시 장치가 없는 곳에서, 순간 이동 능력자는 자신이 '전능하다'라는 착각조차 하기에 이르곤 한다.

고삐가 풀린 망아지처럼, 격변기 속에서 점퍼들이 마구잡이로 튀어나오고 능력을 행사했다. 다만 모든 점퍼가 자신의 유익이나 감각적 행복을 위해 타인의 자유나 법을 침해하기로 한 건 아니었다.

반절.

전체 점퍼들의 인구를 따진다면 그 정도가 도리를 벗어나는 길로 향하고 있었고, 나머지 반의 반은 침묵했다. 그들은 자신의 능력이 어떤 식으로 쓰일지 예상하지 못해 두려움에 떠는 부류였다. 세상에 크게 관여하지 않았다. 능력이 있다는 것조차 잊어버린 채, 일상적으로 살아가기로 한 이들.

나머지 반의 반절은 비교적 상식적인 태도와 의지를 가졌다. 점프는 유용한 능력이었지만 그것이 타인에게 괴로움을 줄 이유가 되지는 못한다. 전쟁과 괴로움은 많은 이들에게 영향을 미치고 있었고, 산업 혁명을 이끌고 세계 정세를 주도하는 나라들에 속하지 못한 점퍼들은 비교적 이웃들의 어려움을 많이 보고 느껴야만 했다.

소수의 인원들은 자신의 능력으로, 적극적으로 자신이 속한 공동체나 타인을 돕는 데 이용했다.

도움을 받다가도 사람들은 가끔 이질적인 것에 두려움을 느끼곤 한다. 그리고 의심과 단절이 지속되고, 반복되다 보면 이해할 수 없는 행동들을 벌이기도 한다. 자신의 주변에 있는 누군가가 이웃이나 서로 같은 사람이 아닌 악마나 괴물처럼 보이곤 하기에 벌어지는 일이었다.

예컨데 어느 재래식의 마을이나 사회에서 다양한 일거리들을 능력을 사용해 처리해주고, 도움을 주다가 어느 날 주민들이 돌변하는 경우였다. 과학적인 견해와 설명, 지식과 논리가 있어도 이해가 안 가는 판국에 점퍼들은 충분히 배척의 대상이 될 만했다. 중세 시대의 마녀 사냥처럼, 사람들이 무리가 되어 그들을 묶고 없애려고도 한다.

그러나 하루에 적어도 수십 번 이상의 도약이 가능하다는 점에서 일반적인 사회에서의 구속이 그들에게 의미가 있는 편은 아니었다. 괴물이라고 욕을 하며 군중 심리에 빠진 이들이 잡으려고 해도, 같은 점퍼가 아니라면 점퍼를 한 자리에 묶어둘 수는 없었다.

점프에는 거리의 제약이 없다. 순간 이동 자체도 이미 현대에 정립된 물리 법칙의 근간을 흔드는 일이었지만 개중에서도 그 사실은 압도적인 요소였다.

세계 일주에 지금보다 훨씬 더 긴 시간이 걸리는 시대. 80일이 걸리는 세계 일주가 화제가 되고 베스트 셀러 소설의 소재가 되던 때에 그들은 거리적 자유를 가진 채 움직인다. 전쟁과 사회의 흐름에서 벗어나는 점퍼들은, 전란에 휘말리지 않고 살아남았다.

점퍼들은 세계 곳곳을 돌아다녔고, 어떤 이들은 비슷한 사상과 목적을 가지고 모여 들었다. 도시에 모이는 자. 도움이 필요한 곳에서 도움을 주는 자. 어렴풋한 소문, 보통은 술에 취한 김에 내뱉는 헛소리같은 소식이라도 실증적인 점퍼의 능력을 가진 이들에게는 확연하게 구분할 수 있는 점퍼의 소식이 되기도 한다.

전쟁기의 혼란 중에 금품이나 재물을 갈취하고, 군수물자를 털어서 유용하는 이들도 있었다. 스릴을 즐기는 어떤 미치광이들은, 전쟁터에 일부러 참여해서 능력을 드러내며 난사를 해대는 경우도 있었다. 점퍼라고 총알을 버티는 신체가 있는 건 아니므로, 그러다 죽기도 한다.

그러다 점퍼만이 저지를 수 있는 악행이나 사고들이 커져갈수록, 다른 이들이 자극을 받게 되었다. '누군가는 막아야 한다'면, 그건 같은 점퍼의 일이어야 했다. 어떤 이들은 그저 넘어갔지만, 어떤 이들은 그대로 두었을 때의 미래를 상상했다가 파국을 그리게 되었다. 소수의 점퍼들이 움직인다.

어떤 이들은 대담한 배짱으로 나라의 고위 공직자들과 마주해서 협상을 하기도 했다. '자신들의 능력을 좋은 목적으로 팔 테니, 다른 점퍼의 정보를 파악하고 견제하기 위한 도움을 달라'는 말이었다.

생각보다 순간 이동이라는 능력을 이해시키는 건 어려운 일이 아니었다. 눈앞에서 사라지고 나타나는 것만 해도 충분했고, 나라의 수뇌부에 속하는 고위 관직자의 몸에 손을 대고 동반 도약을 한다면 더욱 간단한 일이었다. 자신의 몸으로 느낄 수 있도록, 고공이나 북극, 아프리카나 바다 한가운데… 그런 곳을 경험시켜 주면 간단한 일이었다.

점퍼라고 총에 맞지 않는 건 아니었지만, 총이나 칼만 피할 수 있다면 일반적인 상황을 뒤바꿀 수 있는 압도적인 능력을 가진 것이 점퍼들이었다. 그들이 가진 능력은 소수였기에, 전쟁의 대세와 전략을 바꿀 수는 없었어도 중요한 국면의 전황에 변화를 주고 또 전술적인 흐름을 바꿀 수 있는 힘이 있었다.

각 나라의 사회에 점퍼들의 조직의 시초같은 것이 생겨났다.

그들은 국가적인 도움을 주고 조력을 얻었다. 점퍼들은 단체로 움직이기 시작했다. 마치 지금의 점퍼 조직처럼, 의뢰를 받아 움직였다. 지금의 조직은 이때의 그룹보다 훨씬 독자적이었지만.

각국의 정계, 군부, 과학계와 긴밀하게 협업하며 일했다. 그리고 거대한 사회적 조직의 도움으로 어디에도 속하지 않고 악행을 일삼는 점퍼들을 견제했다. 점퍼들이라고 시대의 흐름과 무관할 수는 없었다. 순간 이동 능력자들끼리 전투가 벌어지고, 전쟁 속에서 살아갔다.

사태가 지속되고, 각국과 점퍼 조직의 관계가 심화되자 다양한 국제적 사건에 점퍼들이 개입하는 일이 빈번해졌다. 이는 다른 나라에 대한 일종의 자극이었다. 점퍼의 존재는 한 나라에 국한되지 않았으므로, 한쪽에서 점퍼가 유용되면 다른 국가에서도 움직이기도 했다. 서로가 서로에 대한 억지력으로 작용했다.

점퍼 조직들은, 타국의 조직과 상대하고, 또 외부적으로 점프 능력을 악의적으로 유용하는 이들과도 상대했다.

몇 권의 소설로도 다 담지 못할 많은 일들이 일어났다. 점퍼들은, 전쟁과 화약, 악의와 두려움과 침략과 약탈, 온갖 문화와 경제와 물리적 충돌이 소용돌이 치던 시대에서 살아남거나 죽기도 했다.

한 나라에서 유용 가능한 점퍼는 고작해야 몇 명 수준이었다. 조직이라기보단, 그룹이나 크루라고 불러야 할 규모이기는 했다. 국가적 지원을 받았지만 군부와도 관계된 다양한 첩보전에 능한 인재는 한정되어 있었다. 그런 건 점프 능력보다는 사람의 심성과 개성에 관련된 문제였다.

거친 시대를 지내며 나라에서 점퍼 조직이 완전히 사라진 곳도 많이 있었다. 많은 이들이 죽고 한둘이 남은 나라도 있었다. 점퍼들 중에도 유명한 이들이 있었고, 그들 간에 알게 모르게 교류 따위도 있었다.

화약 냄새가 물씬 풍기고 아버지의 아버지의 세대에서 전해져 내려오던 뿌연 먼지 속의 이야기들도 종지부는 있었다.

전란의 시대가 끝났다.

한국은 그동안 긴 몸살을 겪었다. 몇 번의 국가 수뇌부가 바뀌었다. 왕조에서, 제국으로. 제국에서, 강점기 시대를 거친다. 세계대전이 끝나고, 공화정이 수립되었다. 그리고 얼마 지나지 않아 작은 반도의 땅덩이에서 한국 전쟁이 일어났다.

온갖 격변의 시대가 파도를 치고, 또 가장 거대한 두 사상적 집단의 싸움이 한국을 전장터로 삼았다. 그 가운데서 한국의 점퍼들은 살아 남았다. 한국에서 영향력을 미친 이들도 있었고, 개중엔 타국에서 움직이는 이들도 있었다. 점퍼라고 무적도 아니었고, 손쉽게 모든 일을 할 수 있는 것도 아니었다. 나라를 위해 직접 움직인 이들도 있었고, 상처 입은 자도 있었다. 혹은 자신의 보잘 것 없음에 좌절하며 전쟁터에서 멀어진 이들도 있었다.

전쟁에서 활약하던 점퍼들은 알게 모르게 소문이 나기도 한다. 알음알음, 전쟁 중에 기이한 행태를 보이는 자들에 대한 대비나 경고도 퍼진 적이 있었다. 환상과도 같이 허공에서 모습을 드러냈다가, 사라지고는 하는 형상들. 분명 인간일 그들이 만들어내는 기묘한 현상은 처음엔 두려움이었지만, 전쟁터에서 이미 제정신이 아닌 상황에서는 그저 쏴 갈길 표적에 지나지 않았다. 전쟁터에선 그런 대상에 대한 선제적인 난사가 이루어지기도 했다.

점퍼들은 시대를 주도하기에는 소수였고, 큰 힘이 없었다. 그들은 그저 그들의 능력을 악용하지 않는 선에서, 변화하는 사회의 흐름 속에서 살아가는 정도로 삶의 방식을 정형화하기에 이른다. 순간 이동을 할 수는 있었지만, 그들이 들 수 있는 물건은 남들과 다를 것 없는 고작 두 손 위의 수십 킬로그램 정도였다. 장정이라면 더 들 수 있었지만, 그건 점퍼의 능력처럼 특별하진 않은 일이다. 그들은 한 전장에서 쏟아지는 수십만 발의 납탄도, 그보단 적은 포탄도, 덮쳐오는 인해人海도, 탱크나 중화기도 막을 수 없었다. 한 자리의 전장에 변화를 주면 다른 전장에서도 치열한 격전이 벌어진다.

두 손을 벌려 담을 수 있는 것들을 담고, 잡을 수 있는 것들을 잡아 보았지만 점퍼들의 손으로 역사의 흐름을 바꾸고 주도할 수는 없었다.

지금의 유일해진 '조직'이 만들어진 건 그런 시기를 지난 다음이었다. 그렇게 경험을 거친 이들이 자신들의 삶을 교훈 삼아 만든 단체. 주도자는 어떤 노련한 점퍼였고, 한국인이었다. 전쟁이 끝나고 세계화된 각국을 상대로 움직이는, 유일한 조직에 대한 그의 아이디어가 다른 이들을 이끌었다.

전란기에 타국의 많은 점퍼들에게도 영향을 미쳤던 주도자는 능력자로서 강력한 부류였다. 전란기를 살아낸 이들이 점퍼 조직을 구성했다. 그들은 그들이 하던 노하우대로, 각국의 수뇌부들과 커뮤니케이션을 이어가며 움직임을 시작했다.

각국에는 소통을 할만 한 창구가 남아 있는 곳도 있었고, 없는 곳도 있었다. 점퍼라는 존재들에 대한 정보가 있는 곳이 있어서 이야기가 수월한 나라가 있는 반면, 유실되고 초기화 돼서 다시 그들의 존재를 알려야 했던 나라도 있었다. 물론 점퍼에 대해서 아예 안 적이 없는 나라나 단체들도 있었고.

격변의 근현대사를 겪은 '노장'들은 새롭게 초석을 다지는 일을 익숙하게 해나갔다. 전쟁이 끝나고 고도화되고 발전해가는 사회 속에서 도리어 그들이 할 일들이 더욱 많았다. 사람이 많은 만큼, 해결을 필요로 하는 골치 아픈 상황들의 수는 늘어난다.

세계사의 흐름 속보다, 오히려 훨씬 범위가 작은 사회 속의 곤란 속에서 점퍼들이 유용했다. 그들은 평범한 사람들도, 고작 두 팔과 두 손에 평범한 무게를 들 수 있었지만 누구보다 특이한 '점프'를 할 수 있었으니까.

일국의 전선을 지킬 필요는 없었고, 단지 누군가가 목숨처럼 여기는 물건을 험지에서 빼오거나, 몇 명, 혹은 몇십 명의 이동만으로 모든 난국을 타파할 수 있었다. 현대에서 의뢰를 받아 일하는 그들은, 우주 정거장의 예상치 못한 물자 부족을 해결하기 위해 우주로 도약을 해서 물품 배송을 하고 돌아온 적도 있었다.

그런 거대한 프로젝트에 쓰일 때는 물론, 상당한 규모의 의뢰비를 받거나 후원, 혹은 투자를 이끌어 내기도 한다.

최초의 일원화된 '조직'은 한국을 중심으로 활동했다. 주축이 되었던 이가 한국인이었던 탓이다. 한국 정부와 깊은 관계를 맺기도 하고, 도움을 주기도 했다. 한국 정부의 도움으로 타국과 원활한 거래 관계를 만들기도 했고. 무엇보다 최초의 기지 본부 건물은 한국에 존재했다. 지금은 아니었지만.

격동의 시대가 지난 이후 그동안 한국에서 점퍼들이 많이 나타났다. 새로운 점퍼들. 보통 사춘기가 지날 무렵 능력을 각성하고, 머리가 크고 사회에 적응할 때 즈음 되어서 큰 사고를 치거나 두각을 나타낸다.

조직은 정부와 긴밀한 협업으로 그런 낌새를 미연에 알아챘다. 그들이 가장 귀기울이는 건, 다른 모든 종류의 인간이 '헛소리지' 하고 넘어가는 점퍼들에 대한 사소한 정보들이었다. 다른 이들의 상식으로는 자연스럽게 버려지는 쓰레기 정보들이야말로 조직이 수집하고 분석해야 할 종류였다.

새로운 점퍼들은 폭발적으로 그 수가 늘어나지는 않는다. 기록화된 점퍼들의 활동의 초기였던, 근대에는 다소 많았지만 현대로 오며 전체 수는 점차 도리어 감소하는 추세였다.

새로운 이들을 회유하고 조직에 영입했다. 한국인의 비율이 늘어갔다. 점퍼의 발생 조건에 대한 건 아직도 미지의 영역이었다. 혹자는 어쩌면, 점퍼의 능력이 전염되는 것이고 오랜 시간 일정한 곳에 많은 점퍼가 있다면 발생이 증가할 지도 모른다고 말한다. 단순한 추측이었다.

본격적인 현대로 지나오면서 전란의 시대를 거친 노장들이 사라져가고, 새로운 이들이 자리를 채웠다. 전체 점퍼들의 숫자는 파악할 수 없었지만 조직에 속한 점퍼들의 수는 늘 가장 중요한 수치로서 속한 모두가 기억해둔다. 아무리 적어도 20명을 넘는다면, 몇 명의 점퍼들이 드물게 팀을 이루어 악행을 저지른다고 해도 최소한의 저지력이 있었다.

현대에 조직이 추측하는 점퍼들의 수는 약 백 명에서 최대 백삼십여 명 정도 수준이었다. 완벽하게 능력을 사용하지 않는다면, 감추어질 수 있기에 확신할 수는 없는 수치였다. 아무튼 그런 이들 중에서 강인한 의지와 사고를 칠만한 외적인 능력을 가진 이들은 한정되어 있다, 그 한정된 특이 경우를 제압하기 위한 수와 단합이 조직에겐 필요하다.

현재의 일원화된 점퍼 조직. 홍인수와, 김만철. 최길우와 그 외 여러 점퍼들. 그리고 그 외 더 여럿의 비점퍼 인원들. 각국의 전문가들과 협력자들. 점퍼 조직은 현대에 그렇게 돌아가고 있었다. 사회에서 살짝 빗겨 간 자리에서 여전히 공동체에 속해서. 혹은 그들이 있는 그 자리가, 어디보다도 더욱 이 시대의 사람들의 삶에 가장 밀접하게 연관이 되는 자린지도 몰랐다.

누구도 그들의 정체나, 존재를 제대로 알 수 없었지만 실제 그들은 그 속에 깊이 관여한다. 누군가의 도움의 요청으로, 혹은 지원으로.

조직은 그렇게, 다른 시대와 다를 바 없이 대체적인 형식으로 운영되었다. 다른 점퍼들에 대한 견제 또한 하고 각국의 수뇌와 연계해 정보를 수집한다. 시대 속에서 안정과 평안을 바라며 그들은 그들이 할 수 있는 일들을 해나갔다.

2.

"이런… 씨."

낡은 폐공장. 여러 명이 모여 있었다. 어두운 분위기의 건물이다. 노후화가 되어서 사람들이 오지도 않는 파주의 어느 공장.

부지와 낡은 건물을 사들인 이들은 개발이나 사업에는 관심이 없는 이들이었다. 그들은 그저 아무도 찾지 않는 조용한 곳에서, 누구의 방해도 받지 않고 모일 곳이 필요했을 뿐이다. 따뜻한 온기도, 안락한 인테리어나 환경도 필요 없었다.

그것이 그들이 살아가는 삶이었으니까.

그런데 이번에는, 그들이 살아가는 그런 삶에 구경꾼이 한 명 끼어들었다.

5월 3일 화요일.

본래 그 자리에 있어야 하는 사람의 수는, 그들의 계획대로라면 8명이었다. '그들'이란 그 부지와 건물을 매입한 젊은 부자들이었다. 그들의 수가 7명. 그리고 그들이 하려고 하는 모종의 계획과 일에 도움을 줄 외부인이 1명.

오늘은 그런 꿍꿍이속을 가진 한 팀, 7명과 1명의 외부인이 만남을 가지기로 한 날이었다. 우선 공장에는 7명이 있었다. 계획을 주로 세우고 팀을 이끄는 리더는 외부인의 사정을 짐작하기 위해 머리를 한 켠으로 굴렸다. 그들에게 도움을 주기로 했던 조력자는 만만한 인물은 아니었다.

나름대로 동아시아의 뒷 세계에서, 세력을 일구며 온갖 악행들에 능하고 조직적으로 움직이는 범죄단의 리더였다. 소수의 팀인 그들과는 달리 수 많은 인원들이 있었고, 그만큼 큰 규모의 자본을 굴릴 수 있었다.

7인팀의 리더는 그런 범죄 조직의 우두머리와 만나 조금 더 본격적으로 자신들의 삶을 도모해 볼 생각이었다. 7인팀은 하나같이 특별한 능력을 공유하는 존재들이었고, 그들이 공유하는 능력이 있다면 적은 수로도 대형 조직과 연계를 이루어 많은 것들을 얻어낼 수 있으리라는 확신이 있었다.

그래, 그랬었다. 7인팀의 리더, 대머리에 잔주름을 가지고 선글라스를 낀 인물은 다른 한 켠으로 나머지 모든 머릿속을 동원 해 고민을 해야만 했다.

나오기로 한 외부인은 없었고, 팀의 한 놈은 연락이 끊긴 채 엉뚱한 인간이 와 있었다. 그는 아주 안타깝게도, 새롭게 등장한 인간의 신원을 짐작할 만큼 연륜이 있었다. 한국에서 나름대로 연차가 오래 된 점퍼였던 그는 이미 만났던 단체의 일원이라는 걸 깨닫고 저도 모르게 신음처럼 소리를 뱉었던 것이다.

엉뚱하게 대신 자리를 차지한 사람은 사내였다. 훤칠하고, 체격도 좋고, 잘 다린 고급 양복을 입은 청년. 홍인수라는 이름의, 코드네임 소드마스터가 입을 열었다.

"내가 갈까, 늬들이 올래?"

간단한 말이었다. 7인팀의 인원들 중 리더를 제외하고는, 저 사람의 정체에 대해서 정확하게 파악하는 자는 아무도 없었다. 다른 이들은 경험이 많이 부족했다. 욕심 많고, 체력이 좋은 젊은이들. 자신의 능력을 거리낌 없이 사용하고, 그 사이에 타인의 불행이나 불이익이 걸려도 넘어갈 만한 자들을 모아서 자신이 일방적으로 이끄는 것이 팀의 실체였다.

다른 이들은 아직 '두려움'에 대해서 정확하게 인지하지 못한다. 그런 것들을 겪기 전에 사내가 앞서서 위험한 현실을 제거하고, 눈을 가린 탓이었다. '점프'라는 능력은 젊은이의 머리를 안 좋은 방향으로 돌게 만들기 충분한 특별함이었다.

리더가 생각하기에 최악은 그것이었다. 눈앞에 마주친 저 사내에게는 그 특별함이 조금도 통하지 않을 것이라는 점.

그리고 다양한 능력을 쌓아온 리더의 관점에서도, 명백하게 그의 통제력을 벗어난 인물이었다.

"……당신 누구?"

7인팀의 한 사람이 입을 열었다. 그는 목 정도로 내려오는 단발머리를 부드럽게 웨이브로 만들고, 솜씨 좋은 메이크업을 받고 온 여성이었다. 20대 중반 즈음 되어 보이는 외모. 하이힐에 여느 회사에서나 일할 때 입을 법한 단순하고 차분한 색감의 옷이었다. 베이지색 면바지에 흰 셔츠를 입고 비슷한 톤의 갈색 재킷을 걸쳤다.

외모적으로 튀는 곳은 왼쪽 귀걸이 정도였다. 큼지막하게 만들어진 링 귀걸이였다. 금빛으로 반짝이는 그것이 그녀의 개성을 드러낸다.

리더의 불안감은 그 순간 치솟고 있었다. 이들은 정확한 상황을 파악하지 못하고 있다. 그의 관점에서 저 청년은, 집 안에 들어온 맹수나 다름이 없었다. 리더의 눈에 팀원들은 어린아이였다. 그가 어린아이를 챙기는 보호자는 아니었지만. 어린아이들이 갑자기 나타난 괴수에게 덤비고 있었다. 집안이 파탄이 나도 이상하지 않은 상황이었다.

홍인수가 대답했다.

"물어본다면 대답해주는 것이 인지상정이지. 당신들이 이상한 짓거리하는 걸 막으러 온 어느 조직의 비밀 병기입니다."

우스운 말이었다. 웃음조차 나지 않을 정도로 말이다. 이곳에 모인, (지금은 6명이지만)7인팀의 인원들은 나름대로 험악한 짓거리들을 하며 살아온 부류였다. 점프라는 능력을 사용하고, 망설이지 않는다면 현대에서 그들이 할 수 있는 일은 무궁무진하다고 해도 좋았다.

약간의 준비, 팀워크, 경험자의 조언이나 장비가 갖춰진다면 그들을 막을 수 있는 건 별로 없다. 더욱이 한 두 명이어도 그럴진데, 7명이라니. 그들은 그들 스스로를 어느 영화의 주인공처럼 생각을 했다. 아무도 막을 수 없고, 제지할 수 없는 거친 악인들이 나오는 액션 무비의 주인공들.

그리고 그건 별로 좋은 생각이 아니었다. 영화는 영화였고, 때로 현실은 냉혹하다. 영화에 나오는 악인들조차 끊임없이 소란을 일으키며 세상을 무너뜨리려 한다면, 어느 때인가 제지를 받을지 모르는 법이었다. 우물 안 개구리가 바깥을 알게 되는 것처럼. 아직 눈에 띄지 않아 내버려 두던 막강한 조정자가 소란을 느끼는 순간 찾아올 지 모른다.

적어도 점퍼들의 세계는 그런 편이었다. 순간 이동이라는 힘을 가지고 한도 없이 날뛰다 보면, 마주치게 되는 조직이 있었다. 그들은 순간 이동이라는 힘을 오래도록 가지고 연구하고, 또 갈고 닦아온 전투 집단이었다.

"뭔…. 언제 부터 여기에 있던 거야, 아저씨. 여기는 사유지라고. 나가세요."

팀의 다른 사내가 말했다. 그는 후줄근한 티셔츠에 청바지를 입고 있었다. 사무용 펀치기로 구멍이라도 뚫은 것처럼 추레한 꼴이었다. 나름대로 훤칠하고 마른 체격이라 어울리긴 했지만, 이해하기 힘든 감성이었다. 그가 입은 것들은 명품이었다.

홍인수는 별다른 말을 않고 그들을 처다 보고 있다. 방긋방긋 웃는 꼴이 사람의 화를 돋구기도 한다. 팀원들 중 조금 덩치가 크고, 힘이 좋아 보이는 장정이 있었다. 그 역시 명품처럼 보이는 밝은 색의 가죽 재킷을 입고 있었다. 여기저기, 때깔이 좋아 보이는 차림새들이었다. 체격이 큰 사내는 팀의 리더와 같이 대머리였다. 그가 홍인수에게 다가갔다.

"어이, 이해가 안 가?"

자못 위협적인 말투다. 홍인수는 그가 걸어올 때까지 역시 대답 않고 주위를 슥 둘러보고 있었다. 6명. '송일우'. 그래, 잭 더 나이프라는 이름의 한국인이 말한 숫자와 일치했다. 그를 포함한 7명의 팀이었고, 30대 후반 정도의 한국인이 리더이다.

그 외의 인상착의나 특징도 대체로 일치했다. 단발머리 한국인 여자, 20대. 마른 체격의 남자, 한국인, 20대. 덩치 커다란 남자, 한국말을 하지만 일본인, 20대. 뒤로 빠져서 팔짱을 낀 채 가만히 있는 금발 서양인. 체격이 작은 20대, 남자. 마지막으로 이목구비가 뚜렷한 미인, 20대의 동남아시아 계열, 여자 하나.

대충 영어나 한국말 정도면 의사 소통이 가능해 보이는 집단이었다. 홍인수를 바라보며, 넓은 공장 내부의 공터에 빙 둘러 서 있었다. 서로 간의 간격은 약 2m 정도. 그에게 반항을 하며 싸움을 할 만한 인원이 많지는 않았다. 옷으로 가려진 작은 체구에 어마어마한 근육들이 있다면 또 모르겠지만. 안타깝게도 홍인수 역시 그런 편이라, 저들이 이길 것 같지는 않았다.

거한이 터벅터벅, 홍인수에게 다가왔다. 리더는 그 모든 상황을 지켜보고 있었다. 선글라스를 끼고, 대머리에, 체격이 다부진 사내는 말이 없다. 식은땀을 조금 흘리는 것도 같다. 팀의 인원들은 리더의 변화에 민감한 자들과, 그렇지 않은 자들로 나뉘었다.

언제나 재빠르고 자신감 있게 행동하던 리더의 모습에 서양인 남자, 동남아시아 여자는 이상함을 느끼는 기색이었다. 그들 역시 아무 말을 않고 상황을 지켜보고 있었다. 나머지 한국인 셋은 홍인수에게 집중하고 있었다. 그들의 상상력이 현실에 닿지 않았던 탓이다.

세계의 점퍼들을 통제하는 일을 하는 조직의 전투 요원이 그들에게 왔으리라고는 말이다. 홍인수는, 농담 투로 사실에 가장 가까운 말을 그들에게 이야기해 주었다.

거한이 홍인수에게 팔을 뻗어간다. 어깨나, 멱살이나, 적당한 상체 어딘가를 붙잡고 흔들어 넘어뜨릴 생각이었다. 190cm의 키에 옆으로도 거대한 체격인 그가 힘에서 밀리는 일이 많지는 않았다. 그는 어린 시절 농구 선수 출신이었다. 투기 계열은 아니었지만 싸움이라면 기 싸움에서도 진 적이 많지 않았다.

리더는 거한이 홍인수의 어깨에 손을 올림과 동시에 소리쳤다.

"…망할, 도망쳐!"
"어."

리더의 비명 같은 외침에 동남아시아 여자가 바보 같은 소리를 냈다. 그녀는 듣기는 완벽하지만 말하기는 아직 어눌하다. 놀라기도 했고, 리더의 태도가 이해되지도 않았다. 그럼에도 일단 반사적으로 말의 내용에 따르기는 했다. 리더의 말에 따라서 여태까지 실패한 적은 없었다. 그들 팀은 여태까지는 나름대로 실패 없이 잘해 왔고, 나름의 돈을 얻으며 떵떵거리며 괜찮은 생활을 즐겨 왔다.

개중에 급박한 상황을 넘는 일도 많이 있었다. 일단 정신이 없을 때는, 보통 계획자이자 다양한 경험이 있는 리더의 지시를 따르면 중간은 간다.

퍽.

어딘가 섬뜩한 소리가 났다. 사람의 맨주먹이 사람의 살가죽 위를 때리는 소리였다. 보통은 글러브globe를 끼고 때린다. 몇 온스니, 하는 단위를 따져 가면서. 미세한 그램 단위를 규격화해서 나누는 건, 그만큼 위험한 일이기 때문이었다. 정권으로 다른 사람의 급소를 갈긴다는 게 말이다.

거한, 일본인, 20대 남자가 허물어지듯 쓰러졌다. 홍인수는 물 흐르듯 자연스러운 동작으로 자신보다 10cm는 큰 장정의 턱을 맞추었다. 기절을 하고, 뇌진탕을 일으키면 잠시는 점프를 하지 못한다. 어쨌거나, 점프를 하려면 점퍼의 멀쩡한 의사意思가 있었어야 하기 때문이다. 간혹 초인적인 정신력을 가진 이들은 기절 직전이나 직후에도 도약을 해내곤 한다. 눈 앞의 청년이 그런 부류일 것 같지는 않았다.

큰 체구가 흙바닥에 맥없이 쓰러졌다. 넘어가는 순간에 홍인수가 옷깃을 잡으며 반대 방향으로 누이듯이 길게 끌었다. 한 번에 넘어지면 뭘 물어보기도 전에 그대로 갈 수도 있었다.

리더는, 그대로 도망치기로 했다. 말을 함과 동시에 도약했다. 우웅, 하는 기묘한 떨림은 점퍼들에게 있어서 친숙한 것이었다. 하루에 수십 번도 더 듣고는 하는 전조 증상이다. 그리고 몇 초 이내라면, 도약지 근처에서 감 좋은 점퍼는 누군가가 이동한 방향을 읽을 수 있었다.

홍인수가 움직인 건 아니었다. 바깥에서 누군가가 들어왔다. 마찬가지로 떨림이 나며 새롭게 도약해왔다. "뭐, 뭐야!" 비명을 지르듯이 팀원들이 소리를 치고, 몸을 떨었다. 한 번에 그들에게 있어서 싸움을 맡곤 하던 사내가 쓰러지고, 그들 외의 점퍼가 나타났기 때문이었다. 팀원들은 아직 홍인수가 누구인지 몰랐다. 심지어 점퍼인 줄도. 그들이 폐공장에 나타났을 때, 홍인수가 도약해오는 것을 목격하지 못했던 탓이었다.

일본인 사내가 쓰러지기까지는 몇 초가 걸리지 않았다. 그 사이에 새롭게 나타난 청년이 리더가 만든 도약의 잔향을 읽었다. '최길우'였다. 다소 어리게 생긴, 순한 인상의 사내. 어딘가에나 있을 법한 평범한 학생처럼 생긴 남자였다. 그리고 조직에서 도약에 있어서라면 가장 정확하고 솜씨가 좋은 베테랑이기도 했다.

최길우는 나타남과 동시, 얼마 지나지 않아서 순식간에 사라졌다. 그는 리더를 따라갔다. 도약에는 거리 제한이 없다는 걸 따져보면, 순식간에 저 둘은 지구의 반대편을 같이 몇 번이나 오갈 수도 있었다.

동남아시아 여성도 곧이어 도약을 했다. 우웅, 하는 작은 소리는 의외로 난전 속에서도 잘 들린다. 점퍼들은 그 소리와 진동, 느낌을 잘 기억해야 한다. 자신의 목숨이 다음 순간에 달아날 수도 있기 때문이다. 어쩌면 소리보다도 눈에 보이지 않는 기이한 느낌이 먼저 점퍼들에게 와 닿는지도 몰랐다. 점프와 그에 관한 미지의 에너지에 대한 연구는 아직도 해석이 많이 이루어지지 않은 분야였다. 현대까지에 와서도.

서양인 남자도 리더의 말을 알아듣고 사라졌다. 홍인수는 그들에게 눈길을 주지 않았다. 앞에서 멍청하게, 판단력을 잃어버린 두 남녀에게 집중하기로 했다. 한국인이었고, 전투 능력이 높지 않아 보였다. 그렇다면 순식간에 제압하는 것도 가능해 보이는 일이었다.

우웅, 하는 소리가 들렸다. 묘사했듯, 그건 점퍼에게 있어서 목숨처럼 들어야 하는 경보음이기도 했다. 적의를 갖고 누군가 도약을 해온다면 곧바로 대응하기 위해서. 점프는 눈을 감았다 뜨는 것보다 빠른 시간에 이루어진다. 눈에 보이는 공간 안에서라면 그야말로 순간 이동이라는 단어의 참뜻을 제대로 알게 된다. 그리고 그것을 연속으로 사용하면서 전투에 능숙하게 사용한다면, 사람에 따라서 괴물 같은 힘을 발휘하기도 한다.

타이밍에 맞추어 사람을 기절시킬 수 있는 펀치를 계속 내지를 수 있다면, 수십 명도 한 번에 상대할 수 있었다. 어디까지나 완벽한 계산으로 정확한 위치에 이동을 하고, 주먹이 닿을 곳에 상대가 머물러 있기만 한다면 말이다.

홍인수는 이론적 완벽함을 거의 흡사하게 현실에 구현해낼 수 있는 능력이 있는 전투 요원이었다. 그렇기에 그가 '소드 마스터' 라는 유치한 별명으로 불린다. 그런 유치함의 이면에는, 모든 전투 요원들이 그를 위로 생각한다는 경외감도 다소 담겨 있었다.

우웅, 퍽. 기묘한 떨림과 함께 홍인수가 눈앞에 나타났다. 마른 체격의 남자가 먼저였다. 그는 반응이 빠른 편은 아니었다. 사실 그렇게 느린 편도 아니다. 그냥 반사적인 훈련이 안 되어 있을 뿐이다. 일본인 사내가 넘어지고, 리더가 사라지고, 외부인이 다시 돌입해서 그를 따라가고…… 곧 공장에 홍인수가 두 남녀가 남기까지 몇 초 이상이 걸리지 않았다. 정상적인 사고로 사태를 이해하려고, 잠깐 멍청해질 수 있는 텀이었다. 그리고 그 정도면 홍인수에게 너무나도 충분하다.

위엣 단에 묘사했듯 홍인수는 망설임 없이 오른 주먹을 궤적에 따라 갈겼다. 그보다 작고, 몸무게가 적게 나가며, 마른 데다 구멍이 뚫린 흰 티를 입은 청년의 턱이 돌아갔다. 그 역시 일본인 거한과 똑같이 사이좋게 넘어졌다. 홍인수는 가끔 초인적인 운동 능력을 발휘한다. 온 힘을 실어 친 것도 아니었지만, 깔끔한 훅을 지른 후에 곧바로 금세 회복해서 사내가 넘어지기 전에 같이 넘어지듯 다가가 껴안았다. 잠깐이라도 쓰러지는 몸을 멈춘 다음에 두었다.

서 있는 위치에서 곧바로 맨땅에 머리를 박으면, 운이 나쁜 사람은 죽을 수도 있는 상황이다. 그들 조직은 곧잘 말하고 다니듯 과도한 폭력은 지양하는 편이었다. 어디까지나 압도적인 무력이 있어야 가능한 선처였지만.

털썩, 하고 사내가 낮은 자리에서 넘어지게 두며 홍인수는 그대로 이동했다. 다시 나타난 곳은 상황을 받아들이기 벅차 하는 여자의 뒤였다. 점퍼로서, 아주 흔한 이동의 위치였다. 상대방의 시야의 사각인 뒤통수는. 그런 면에서, 숙련된 점퍼, 혹은 점퍼로서 오래 살아온 이들은 반사적으로 반응하고는 하는 위치이기도 하다. 그가 송일우와 옥상에서 싸울 때, 이동의 전조를 느끼자마자 바로 앞으로 뛰었던 것처럼.

여성은 그런 반응을 보이진 못했다. 애초에 전투에 능숙해 보이지도 않았다. 홍인수는 넘어지듯한 자세에서 이동을 했기 때문에, 땅바닥에 엎드리듯 경직된 자세로 이동이 되었다. 다만 그는 축을 조금 비틀고, 여자의 뒤편, 조금 땅에서 뜨인 위치에 이동을 해서 떨어지듯이 그 뒤를 잡았다.

타닥, 하는 소리가 나며 홍인수의 발이 땅에 닿는다. 그와 동시에, 여자가 돌아보기도 전에 그는 주머니에서 전기 충격기를 꺼내 들고 있었다. 제압용으로 아주 쓸 만한 장비였다. 화력전이 예상되면 그는 총도 마음껏 갈겨 대는 편이었지만, 일반적으로는 손상 없이 제압하는 걸 지향한다. 트르륵, 툭.

“끼야아악!”

여자는 짧은 비명을 지르며 그대로 혼절하듯 넘어갔다. 주먹으로 맞은 것과는 달리 전신의 근육이 반응하며 튀듯이 발작한다. 바닥이 단단했기에 넘어지는 여자의 옷깃을 낚아채듯 잡아서 잠시 멈춘 뒤에 놓았다.

움직임을 시작하고 30초보다 적은 시간이 걸렸다. 연속 도약에 익숙하다면 한 자리의 상황을 정리하는데 이동 시간이 생략되기에 가능한 작전 수행 속도였다. 홍인수는 주로, 멈춘 상태에서 폭발적인 순발력이나 파괴력을 내는 근력 운동을 반복한다. 급한 상황에서는 순간적인 동작 수행 능력이 모든 걸 결정짓는다.

현대에 익힐 수 있는 무술 중에서는 절권도가 그가 수행해야 하는 움직임에 가장 잘 맞았다. 어떤 상태에서든 곧장 공격이 가능한 상태로 회귀하고 최단 거리로 적을 타격하는 흐름. 굳이 비유하자면, 홍인수는 마치 이소룡처럼 움직인다.

홍인수는 폐공장에 쓰러진 이들을 슬쩍 둘러봤다. 먼지가 쌓이고, 외풍이 숭숭 들어오는 낡은 건물. 고요하고, 주변은 산야라서 짐승 우는 소리 따위나 가끔 멀리서 들렸다. 별다른 조명도 야외에는 없었고, 건물 내부에 오래된 백열등 하나가 있어서 광활한 공터를 비추었다. 공장의 바닥은 그냥 평평한 시멘트였다. 여기저기 균열이 가고 먼지가 잔뜩 쌓인 채의.

어두운 불빛 아래 한국인 남자, 여자, 일본인 남자가 누워 있다. 그는 자켓 안주머니에서 특수 수갑을 꺼냈다. 조직이 사용하는 도구였다. 조직은 순간 이동 능력의 대여를 대가로 각국의 단체들에게서 많은 것들을 지원 받는다. 현재 사회에 공개되지 않는 실험중의 첨단 기술 따위도 개중 포함되는데, 그 중에서도 간혹 쓸만한 것들이 있었다.

그가 세 개쯤 꺼내 든 특수 수갑이 그중 하나였다. GPS위치 추적 장치가 포함되어 있었고, 함부로 벗기려 들면 전류가 흐른다. 물리적으로 강한 충격을 주면 내부에 화약 장치가 있어서 수갑을 채운 부위가 손상된다. 디지털 패널로 간략한 정보가 뜬다. 회색빛의 외부에 견고한 느낌을 주는 디자인이었다. 다소 투박하고, 굵은 수갑이었으나 그것에 들어간 다양한 기술을 따지면 도리어 혁신적으로 얇은 편이었다.

무엇보다 단순한 수갑으로서의 기능도 충실해서, 어지간한 절단기로도 잘 끊어지지 않았다. 무게가 그리 무거운 편도 아니었고. 간혹, 그럴 일이 많지는 않지만 수갑을 넣어둔 재킷의 가슴 부위에 타격을 받는다면 방어구가 되어줄 때도 있다. 홍인수가 검이나 총을 맞는 일이 자주 있지는 않았다. 적어도 점퍼 상대에 특화된 엘리트 병력이나, 혹은 전투에 특화된 점퍼가 아니라면 그의 옷이나 몸에 흠집을 내는 것조차 어렵다.

홍인수는 그저 무심하게 늘 해오는 일을 해오는 것 같은 움직임으로, 넘어진 이들에게 가서 수갑을 채웠다. 철컥, 드륵. 철컥, 드륵. 철컥, 드륵. 비슷한 소리가 박자감 좋게 이어서 들렸다. 뇌진탕으로 쓰러진 이들이 회복되기까지는 시간이 좀 있다. 기지 내 인원들이 얼마나 있을지는 알 수 없었지만, 일단 기지로 옮겨야 했다. 가능한 한 교대로 감시하면서 최대한 신문을 진행하고 정보를 뽑아내야 했다.

특수 수갑같은, 점퍼를 상정하고 만들어진 지독한 물건들을 여러 개 갖고 있었다, 조직은. 그리고 그것들을 계속해서 관련된 단체와 연구소에 주문을 하기도 했고. 갖은 수를 다 써가면서 빠른 시간 내에 끝내야만 했다. 점퍼를 구속하는 건 그만큼 부담이 많이 되는 일이었다. 어떤 물리적 구속도 아랑곳 않고 정신만 차리면 어디로든 사라질 수 있는 존재들을 가두어두고 대화를 한다는 게 참 어지간한 발상으로는 시도조차 할 수 없는 일이었다.

영구적인 손상을 육체에 입히지 않고, 인도적이고 회복 가능한 선에서 그들을 상대하다 보니 난이도가 기하급수적으로 올라간다. 송일우는 어느 정도 참작을 해서 위치 추적이 가능한 작은 악세사리형 구속구만 채운 뒤 자유를 주었다. 아마 최길우가 리더를 잡아올 테고, 그가 지금 기절한 셋을 데려갈 테니… 네 명을 기지에서 유지하려면 적어도 그 네 배의 인원이 기지에서 상시 대기를 해야 했다.

조직의 인원수를 생각한다면, 그 이상은 버거운 일이었다. 그런 탓에 동남아인 여성과 서양인 남성을 잡지 않은 것이다. 그들만으로는 큰일을 벌이지 못하리라는 예감도 있었고. 유약한 신체나 정신을 가졌다면 점퍼라고 해서 사회적으로 규모가 큰 범죄를 일으키기도 쉽지 않았다. 그들의 힘은 단지 이동일 뿐이므로, 그것을 사용해서 공격적인 변화를 일으키려면 다소의 강인한 의지나 힘, 준비나 조력이 필요했다.

정말로 크게 사고를 칠 정도로 범죄자 점퍼의 몸집이 커진다면 조직과 연관된 모든 단체가 연합해서, 물고기를 몰듯 한 자리에 서서히 몰아넣고 다시 잡게 될 테였고 말이다.

홍인수는 그 자리에 서서 잠시 허리춤을 짚고 몸을 뒤틀었다. 가끔 고단함을 느낀다. 그다지 결리지도 않는 몸이나, 단련된 정신이었지만 그런 것보다 더욱 깊은 곳에서 어색한 쓸쓸함 따위를 느낄 때가 있었다. 어쩌면 그에게는 변화나, 친구가 필요할 지도 몰랐다. 삶의 태도에 대한 전환이 필요할 지도 몰랐고.

최근 연속적으로 임무를 하기에 이럴지도 모른다. 세상에는 그들이 필요한 일들이 많았다. 홍인수는 이미 쓰러진 이들이 일어나기 전에, 채 1, 2분이 더 지나기 전에 움직였다. 한 명씩 가까이 다가가 기지로 옮긴다. 후웅, 하고 바람이 부는 것과도 비슷한 소리가 났다.

눈 깜박할 사이에 기지의 정해진 방에 정신을 잃은 범법자 점퍼들을 처박았다. 미리 대기를 하고 있던 기지 내 인원들이 받아서 구속한다. 곧바로 점퍼들 특제의, 온갖 물리적 구속구를 장착하고 밤을 세우며 24시간 대기 임무를 시작하게 된다.

피곤한 일이었다. 어쩌면 홍인수는 그런 일들을 하게 될 기지 내 동료들의 심정을 상상하며 과도한 피로감을 느끼는 걸지도 몰랐다.

하나 둘 셋, 일본인 남성과 여자, 한국인 남성의 순으로 기지의 밀실에 처박았다. 홍인수는 정말 급박한 비상 상황이 아니면 대기 인원에 들어가지는 않는다. 어지간한 상황, 혹은 외부에서의 비상 상황에서 소드 마스터만큼 유용한 인원이 많지 않기에 그러하다.

굳이 따지자면 철저한 외근직이었다. 때로 내근직 요원들에게 부채감을 느끼기도 한다. 한 가지 일에만 집중하면 된다는 건 좋은 일이었지만, 때로는 고달프다. 그로서도 한계가 있기도 하고, 때로는 도망치고 싶은 순간도 많이 있기도 하다. 그는 강력하지만, 육체적으로나 정신적으로나 초인은 아니었다.

그냥 의외의 재능 두 가지가 합쳐져서 남들이 쉽게 상상하지 못하는 수준의 능력을 발휘할 뿐이다. 그건 마법도 아니었고, 절대적인 힘도 아니었다. 그냥 우연의 일치로 만들어진 한 가지 재주일 뿐이었지.

홍인수는 일을 마치고 폐공장을 잠시 돌아봤다. 혹시 그가 놓친 흔적이나, 증거품 따위가 있는지. 돌아보아도 별다른 것은 나오지 않았다. 팀의 리더가 아마 철저한 편이었던 모양이다. 자주 모이는 곳이었음에도 그들의 행적을 증명할만한 어떤 것도 없었다. 깔끔한 상태.

그는 얼마간 그 자리에 서 있다가 기지로 돌아갔다. 밤이 늦다. 그 역시 대부분의 요원들처럼 한국 시간을 기준으로 생활을 하고 있다. 기지의 방에 돌아가서, 씻고 누워야겠다. 조직은 그에게 많은 걸 준다. 구체적으로 말하자면 돈을. 그러나 가끔 앞날에 대한 기묘한 망설임을 느끼는 일은 있었다. 이 시대도 그러하고, 점퍼라는 존재들의 삶의 방향도 그러하고, 조직의 앞날에 대해서 그가 확신하는 게 없어서였다.

그는 연차가 제법 쌓인 조직원이고, 강력한 개인 행동권을 가진 구성원이었지만 조직의 리더는 아니었다. 조직의 방향성에 대해 모든 걸 알고 있지는 못하다. 그런 점에서 때로 망설임이 생기는 지도 몰랐다.

기지로 돌아가 얼마 지나지 않자 리시버가 돌아왔음을 들었다. 무사히, 큰 어려움 없이 리더를 잡아 와 구속했다고 한다. 최길우는 홍인수가 직접 부딪혀가며 가르친 대인 전투술의 제자였다. 훌륭한 격투 실력을 갖고 있었고, 그의 점프 능력은 점퍼 조직 내에서도 최고였다.

물리적인 점프 가능 횟수의 한계는 홍인수가 더 많았지만, 정밀한 도약과 연속 도약의 텀은 최길우가 조금 더 빠르다. 그가 추적을 할 때 도망칠 수 있는 점퍼는 없다고 봐도 좋았다. 만약 여태까지 조직에서 모아 온 모든 데이터를 무시하는 수준의 괴물 같은 자연 발생의 천재가 나타난다고 하더라도, 그러면 조직원들의 정예가 모조리 몰려가서 상대하면 될 뿐이었다. 점퍼는 순가 이동을 한다고 하더라도, 고작해야 인간에 불과했으니 말이다.

홍인수는 기지의 개인실 침대에 걸터앉아 소식을 기다리다가, 호출기에서 들리는 무사 귀환 문자를 보고서야 장비를 정리하고 씻고 자리에 누웠다. 푹 자길 원했다. 최근 들어 수면 장애가 조금 있었다. 이런저런 고민들이 많았다. 삶이란 어디로 가는가. 이 조직은 어디로 가는가. 개인적으로 움직이는 요원들 중에서 선임급이자 가장 막중한 책임을 맡고있는 그로서 적당한 고민일 지도 몰랐다. 아마 그의 조직 내 커리어의 다음 스텝으로는, 직급의 상승과 함께 조직의 수뇌부의 일원이 되거나 조직에서 멀어지거나 둘 중 하나일 테였다.

개인실은 조금 큰 원룸이나 비슷했다. 가장 큰 방도 10평대를 넘지 않는다. 부스처럼 한 자리에 마련된 샤워실을 나와 침대에 누웠다.

위를 바라보면 늘 똑같이 방 안을 밝히는 흰색 LED등이 눈을 비춘다. 실내는 다른 기지의 공간과 마찬가지로 흰 톤이다. 가구들은 갈색이니, 검은색이니 붉은색이니 색조가 좀 있는 편이었다. 그는 그 외에는 개인실의 리모델링에 관심이 없다.

원룸의 구석에 비치된 흰 이불과 매트리스의 침대에 누워, 피곤한 눈빛으로 말을 한다. "소등." 천장의 LED가 음성을 듣고 저절로 꺼진다. 어둡다. 호출기는 머리맡에 두어서 울리면 곧바로 알 수 있었다. 23:20. 그가 누운 시간이었다. 그리고 21시부터 그 시간 사이가 최길우가 리더를 잡기 위해 드잡이질을 한 시간일 테였다.

아끼는 후배이자 믿음직한 동생에게 애도의 마음을 표현하며 그가 눈을 감았다.

***

김수정은 거리를 걷고 있었다. 그녀는 서울에 있는 성현대(실재와 관련 없음) 국문학과를 다니는 학생이었다. 단발머리를 곱게 기르고, 찰랑거리면서 걷는다. 옅은 갈색으로 염색을 하고, 마찬가지로 옅은 화장기의 얼굴에 단정하게만 차려입은 외모로 다닌다.

체구가 작고 늘씬한 편이라 여성으로서 예쁜 편이었다. 좋아하는 이들은 이상형으로라도 삼을 법한 생김새이기도 했다. 얼굴의 이목구비도 그러했고.

입을 다문 채 천천히 걷는다. 눈빛은 무언가 생각하는 듯 골몰한 속내를 드러내고 있었고, 집중한 채로. 발목께까지 내려오는 산뜻하고 얇은 치마에 블라우스를 걸쳤다. 여성스럽지만 나름대로 뛰려고 한다면, 활동성이 나쁘지 않은 차림새였다. 물론 본인의 운동능력이 받쳐준다는 전제 하의 이야기였다.

평범한 대학가였다. 대학가라곤 하지만 일반적인 동네와 크게 다를 바도 없었다. 먹을 음식점이 많은 것도 아니었고, 즐길 거리가 풍부한 것도 아니었다. 고작해야 음식점이나 대학생들이 가는 술집

들 따위가 조금 있고… 무엇을 하며 놀면 좋을지도 알지 못하는 20대 초반의 아이들이 서성거리는 거리. 그보다 더 어린 학생들이나, 오가는 동네 주민들도 물론 있다.

그녀는 양옆으로 몇 층 높이의 상가 빌딩 따위가 늘어서 있는 작은 골목을 걷고 있었다. 차가 지나다닌다면 두 대가 지나가기도 조금 좁아 보이는 골목이었고 기본적으로 사람들만 걷는다. 젊은이들이 많은 동네였고 그녀가 튀지도 않아서 존재감이 크지 않다.

그녀는 오랜만에 누군가를 만나기 위해 걸어가는 중이었다. 대학교에서 자퇴를 한 친구. 비록 과는 달랐지만 고등학생 때부터 알던 사이였던 친구는 이상하게 종종 신경이 쓰이는 녀석이었다.

맥아리가 없어 보이는 표정도 그렇고, 어딘가 동떨어진다면 오래 살아남지도 못할 것 같은 힘없는 분위기도 그렇다. 같은 대학교에 와서는 조금 더 친하게 지냈는데, 얼마 지나지 않아서 곧장 자퇴를 해버리고 만다. 뭘 하고 사는지, 뭘 하고 싶은지, 제대로 된 계획에 대해서도 이야기를 하는 꼴을 본 적이 없었다.

이 감정은 걱정일지 몰랐다. 사회적 약자에 대한 보편적 감정. 남자로서, 조금도 믿음직한 구석이 없었다. 언제 죽어 나자빠질지 모를 것 같은 구석이 퍽이나 매력적이었다. 반어법조로 이야기한다면 말이다.

오늘은 그런 친구를 만나기로 한 날이었다. 따스한 봄날, 졸업을 앞두고 있는 그녀는 느슨한 시간표의 사이에 비는 시간들이 많다. 죽어도 취업이 안된다는 국문과를 나와서 뭐 하고 먹고 살지는, 그녀 역시 막막한 부분이기는 했다. 그래, 어쩌면 오늘 친구를 만나러 가는 것 또한 비슷한 동지를 만나러 가는 것일지도 몰랐다. 어찌보면 말이다.

제멋대로 자퇴를 하고 집단적 생활을 거부한 방랑인과 자신의 처지는 결국 크게 다르지 않았다. 먹고 산다는 게 참 난이도가 높은 일이었다. 요즘 세대의 사회에서는 말이다.

김수정은 다소 자신의 처지를 비관했다. 아니, 이렇게 열심히 공부를 했는데 결국 같단 말인가. 어찌 되었든, 친구를 만나고 이야기를 할 때였다. 다소의 우울감은 떨쳐버리고 그녀는 약속 장소를 향해 걸었다.

성북구 동선동 근처의 거리였다. 밝은 한낮. 사람들은 시끄럽게 각자의 소리를 내뱉으며 소음을 더한다. 평화롭고, 그다지 걱정거리 없는 풍경이었다. 그리고 그녀는 그의 친구, 김민서를 목격했다. 쭉 뻗어 있는 골목의 저편이었다.

그녀는 골목의 안쪽에 있었고, 한 7-80m정도 앞, 사람들이 모여있곤 하는 넓은 자리에 그가 서 있었다. 구부정한 어깨. 힘없는 걸음걸이. 멀리서도 확연하게 구분되는 그녀의 친구였다. 수정은 눈이 좋은 편이어서, 그가 잘 보인다. 날이 맑고 그 사이를 가로막는 인파도 마침 적기도 하다.

따로 핸드폰을 하고 있지도 않고, 그저 넋 놓고 그녀가 다가가는 방향과 다른 쪽의 교차로를 보고 있었다. 마주치면 반갑게 인사를 하려는 생각으로 천천히 걸어갔다. 몇 걸음, 혹은 몇십 걸음 정도를 앞으로 갔을 때 그에게 변화가 있었다.

그녀는 눈에 바로 보이므로, 다른 곳에 한눈을 팔 일도 없이 주욱 직진을 하고 있었는데, 약속 장소에 멀쩡히 서 있던 녀석이 움직이기 시작했다. 고개를 들고 앞쪽으로 뭔가 말을 하는 것 같았다. 누군가가 말이라도 걸었나? 혹은, 아는 사람을 만났는지도 모르겠다.

웬만하면, 놀래켜 주는 일을 좋아하는 그녀였으므로 일부러 전화로 다 와 감을 알려 줄 생각도 없었다. 그녀는 조금 걸음을 빨리했다. 조금 크게 말을 하면 들릴 정도의 거리였다. 인파가 있었기에 다소 크게 소리쳐야 했다. 김민서는 급기야 시선을 다른 곳에 두고 이야기를 하는 듯하더니, 앞으로 가기 시작했다. 그녀는 황당한 나머지, 잰 걸음으로 그가 있는 곳까지 향했다.

"야-!"

크지 않은 목소리에 나름대로 힘을 다해 소리를 쳤지만 듣지 못한 모양이다. 못하는 건지, 않는 건지. 알 수는 없었다. 김민서라는 놈은 대체로 종잡을 수 있는 녀석이었다. 꽤나 오래 만났지만 진짜 고민에 대해서 낱낱이 얘기한 적도 별로 없었다. 그가 그녀에게.

그녀가 따라잡기엔 조금 빠른 속도로 앞으로 튀어 나간 그를 쫓는다. 약속 장소 쪽으로 가자 김민서가 한쪽으로 잽싸게 움직이는 걸 보았다. 그녀는 따라갔다. 이게 웬일이지. 이게 웬 술래잡기인가, 하는 심정이 들었지만 왜인지 반사적으로 그 뒤를 따르게 된다.

움직이면서 핸드폰으로 전화를 걸어 보았지만 조금도 신경쓰지 않는다. 가방도 없으니 어디 바지 주머니에 넣어 두었을 텐데, 하지정맥류라도 있는 건지.

긴 치마를 입었지만 그녀는 여자 중에서는 제법 잘 뛰는 편이었다. 다만 김민서가 조금 빨랐다. 잘은 몰랐지만, 지금 보니 꽤나 잘 뛰는 편인 듯했다. 남자 중에서도. 그가 다른 교차로에서 다른 방향으로 쭉 달리다가, 어느새 한 골목으로 들어간다.

다 해서 백 미터는 넘게 뛴 것 같았다. 발바닥이 아프다. 단화는 뛰기에 적당한 신발은 아니었다. 그녀는 조금 늦게 그가 들어간 골목 방향에 도착했다. 벌써 사라졌으면 어쩌나, 하는 생각이 있었지만 다행히 골목 안은 좁았고 또 다른 길로 가는 방향도 없었다. 막다른 길이었다. 조금 멀리에 김민서가 서 있다.

그녀는 문득 말을 하려다가 멈추었다. 누군가와 이야기 중이었다. 표정을 보아하니 또 제법 심각해보였다. 갑자기 약속 시간 다 되어서 생각도 않던 술래잡기를 시켜 준 친구에게 엘보우라도 먹여 주고 싶었지만, 일단 다른 사람이 있어서 참았다. 멀리서 그들이 이야기 하는 모습을 잠시 바라보며 숨을 고른다.

오랜만에 갑자기 뛴 것이었다. 허구한 날 방 안, 독서실, 학교에서 앉아만 있다가 격렬한 운동을 하려니 몸이 쑤셨다. 운동은 제때 제 때 해야 한다.

"허억, 허억."

숨이 턱 끝까지 차올라서 가다듬느라 시간이 걸렸다. 그녀는 땀을 삐질 흘린 것을 닦으며 바라보았다. 김민서의 앞에는 웬… 사내가 하나 있었다. 숏컷 머리. 야구 점퍼같은 상의에 아래도 펑퍼

짐한 작업 바지. 밑창이 두꺼워 보이는 신발. 언뜻 보아도 인상이 사나워 보이는 남자였다.

'음….'

삥이라도 뜯기는 걸까. 그녀의 친구는 한심하게 20살이 넘어서 어떤 양아치에게 당하고 있는 걸까. 전화를 해야 하나…. 조금만 낌새가 이상하면 바로 신고를 하도록 전화기를 손에 쥐었다. 화면을 키고 112까지도 눌렀다. 통화 버튼 앞에서 엄지 손가락을 띄운 채로 있었다.

그리고 그녀가 목격한 건 생각보다 더 황당하고 당황스러운 일이었다.

우웅.

분명히 아무것도 없었다. 분명히 아무도 없었다. 그녀는 계속 골목을 바라보고 있었고, 그 안에는 그의 친구와, 인상이 더러운 사내 둘 뿐이었다. 길은 막혀 있었고 별다른 건물이나 장애물도 없었다. 도리어 저들이 왜 그녀를 발견하지 못하는지 의아할 정도로, 뻥뚫린 공간에 조금 떨어져서 그녀가 계속 주시하고 있던 상태였다.

기묘한 소리가 들리거나, 감각이 느껴진 것 같았다. 그리고 아무도 없던 공간에서 누군가가 나타났다. 훤칠한 키의 사내였다. 정장을 잘 차려입은 사내. 키도 김민서보다 조금 더 컸고, 옷 태가 좋아 보이지만 그녀의 눈썰미로는 근육도 있는 편이었다.

그런데, 아무도 없던 자리에 눈을 씻고 보아도 잘 이해가 가지 않는 현상으로 사람이 나타나 있었다. 사람이 나타나는 순간에 근방의 공기가 일렁이는 것 같기도 했다. 이게 현실인가?

비슷한 일을 볼 수는 있었다. TV 프로그램 따위에서 마술쇼를 한다면. 그런데 여기가 그런 마술을 하는 장소인가? 그냥 거리인데. 아무도 없던 공간에 누군가가 나타나기에는 준비가 부족한 스테이지였다.

환각을 보기에는 정신이 멀쩡했다. 잠에서 덜 깬 것도 아니었다. 도리어 신나게 운동을 한 다음이라 더할 나위 없이 또렷하다. 눈은 좋은 편이었다. 그녀는, 스스로가 본 것이 환상이 아니라고 결론을 내렸다.

아니, 그럼 대체 뭐야?

생각의 결론은 그녀를 다시 미궁 속에 빠뜨린다. 제대로 본 것이 맞단 말인가. 이해할 수 없는 현상에 소름이 조금 돋았다. 내가 지금 대체 뭘 본 거지.

이성은 마땅한 해결책을 내릴 수 없었다.

수정은 눈을 동그랗게 뜨고 그들을 바라보고 있었다. 어떤 행동을 취하기엔 당황한 심정이라 가만히 있었다. 그리고 그러다, 건너편에 있는 그 양복 입은 남자와 눈이 마주치고 말았다.

잘생긴 남자였다. 그는 수정을 바라보고 눈을 크게 뜨더니 잠시간 말이 없었다. 그녀의 행색이나 표정을 살피는 것 같았다. 그리고 세상에 다시 없을 정도로 피곤하고 답답하다는 표정으로 머리를 짚었다. 그가 입을 열었다. 수정이 있는 쪽에서는 들리지 않는다.

“…여러분. 당신들은 점퍼나 조직의 요원이기 이전에 주의력이 일반인보다도 못한 것 같습니다.”

말을 건 것, 은 홍인수였다. 그는 언제나처럼 훤칠하게 차려 입은 값비싼 매무새를 자랑한다. 슬며시 손을 뻗어 이마를 짚는 왼손에 손목시계가 빛난다.

김민서, 는 그 말에 의아함을 느끼면서 주변을 둘러보았다. 헛소리를 할 양반은 아니었다. 고개가 돌아갔고, 그는 아주 오랜만에 보려 했던 친구의 얼굴을 확인할 수 있었다. 그리고 친구의 표정을 보아하니, 상상하기 싫은 종류의 상황이 벌어졌음을 짐작했다.

수정은 세 남자가 자신을 알아챘음을 깨달았다. 친구인 민서와도 눈이 마주쳤다. 하나같이 똑같은 반응이었다. 일어나서는 안 되는 일이 일어난 것처럼, 골치 아픈 얼굴을 하고 그녀를 바라보고 있었다.

골치가 아픈 건, 그녀도 마찬가지였다. 뭔지는 몰라도 보아서는 안 되는 장면을 본 것일까. 짐작이라면 아주 간단하게 간다. 역시 그녀가 마주한 상황은 마술이나, 속임수나, 환각이 아니었던 것이다. 눈앞에서 사람이 나타나는 일은 명백하게 상식의 범주 바깥에 있는 일이었다. 이제 어떻게 되는 것일까.

수정은 눈치나 머리 회전이 빠른 편이었다. 망상을 잘하는 편이기도 했다. 가끔은, 홀로 생각에 빠져서 엉뚱한 착각이나 결론을 내리고는 지레 걱정을 하기도 한다. 그녀는 풍부한 상상력으로 눈에 보이지 않는 여러 조건들을 추리했다.

자신의 친구가 못 보던 새에 영문 모를 비밀 조직에라도 가담을 하게 된 것일까. 신비한 능력을 감추고 있는 집단이 있어서, 이 사회의 뒷 면에서 암약하는 이들인데… 그런 이들의 활동을 자신이 마주한 건 아닐까. 그렇다면 분명 저런, 갑자기 허공에서 사람이 나타나는 종류의 일은 그들 조직의 비밀일 테였다. 어떤 상식으로도 이해가 가지 않는 일이었으니 말이다.

비밀은 비밀일 때에야 의미가 있는 법이었다. 수정은 외부인이었고. 그러면 어떻게 될까. 이제 조직같은 곳에 끌려가서 비밀 유지를 위해 신변의 위협을 받는 걸까? 아니, 하지만 저기에는 친구인 민서도 있는데? 저 자식은 오늘 사람을 만나자고 해놓고 약속 시간이 다 되어서 갑자기 이동을 해버렸다. 이런 일의 원인을 따지자면 민서에게 상당량이 있다고 따져볼 수 있었다.

자신이 아는 친구가 그녀보다 조직의 비밀을 더 우선할까? 아니면 민서가 있으니까, 사실 지금 이건 별로 위험한 상황이 아닌 걸까?

별에 별 걱정과 상념들이 머리를 지나갔다. 수 초, 정도의 시간이었다. 송일우는 고개를 푹 숙인 채였다. 낙담한 사람처럼도 보였다.

개중에, 민서가 입을 열었다. 역시 수정에게는 아직 들리지 않았다.

"…제 친구인데요. 미안합니다. 아니 갑자기 찾아 오셔서들… 오늘 만나기로 했다가 잠깐 옮긴건데 뒤에 따라붙었던 모양인데요."

민서의 말에 운동 점퍼를 입은 사내, 송일우가 미안한 기색으로 입을 연다.

"…갑작스러운 일이라 그랬습니다. 불러 놓고 뒤도 제대로 챙겨보질 않았네요. 미안합니다."

그새, 많이 누그러진 투였고, 민서나 홍인수와도 제법 친분이 있는 듯한 모양새였다. 그는 고작해야 한, 두 달 전만 해도 그들과는 연이 전혀 없었고 그들을 향해 칼을 휘두르던 사내였다. 짧지 않은 시간이었지만 그동안 더욱 적잖은 사건들이 있었던 모양이었다. 그의 태도는 이전과는 거의 완전히 바뀌었다. 우선, 말투도 차분하고 예의가 발랐다.

"…이런 경우에는…"

홍인수, 소드 마스터가 입을 열었다.

"송일우는 아직 외부자고 김민서 씨는 내부 요원… 잘 쳐줘야 견습이니 누구에게 책임을 물어야 좋은 걸까."

혼잣말인지, 그들에게 하는 건지 모를 말을 뱉으며 이야기했다.

"크흠."

민서와 일우는 민망하다는 듯이 헛기침을 했다. 홍인수, 소마가 말했다.

"뭐가 됐든 일단 마무리하려면 책임은 내가 져야겠죠. 여기서는. 아니, 이렇게 쉽게 뺑소니가 일어난다고? 이 소드 마스터가? 연간 무사고 의뢰 달성 기록을 연속으로 가지고 있는 내가? 올해에만?"

뒷말은 넋두리에 가까웠다. 그 한탄에 민서는 민망해져서 대답을 회피했다. '어쩌죠.' 그가 슬쩍 물었고, 송일우는 '일단 알아서 하십쇼. 친구라면서요?'라고 답했다. 김민서가 소마의 상태를 보더니 친구를 향해 고개를 돌렸다. 그녀에게 다가갔다.

움찔, 하고 가만히 있던 수정은 민서의 움직임에 반응했다. 어떤 상황인지 알 수 없어서, 마땅한 행동을 하기가 어려워하고 있던 차였다. 민서는 그녀에게 가까이 가며 일단 이야기했다.

"어… 미안하다. 빨리 왔네?"

그러다 민서의 말에 일단 다른 것들이 사라지고 대답할 말만 떠올라 튀어나왔다.

"너- 는 시간이나 핸드폰은 보질 않고 사는 거니. 딱 맞춰서 도착했어. 그런데 갑자기 눈 앞에서 네가 뛰니까 나는-"

약간의 억하심정도 섞여 있었다. 오랜만에 본 녀석에게 장난이나 칠까 하다가 뒷골목에서 모르는 남자들이 작당모의를 하는 걸 발견한 기분이었다. 봐서는 안 되는 장면을 보게 되어서 심히 어색한 상황이었고. 자신이 왜 이런 난처함을 오늘 느껴야 하는가. 민서에게 일단 쏟아내게 되었다.

"…어… 그래. 미안하다. 내가 핸드폰을 잘 못 보더라고. 시간이 벌써 그랬었나? 나는 잠깐 아는 사람이 찾아와서 금방 얘기만 하고 너 보려고 했지……."

민서와 수정이 이야기를 하는데 뒤에서 따가운 시선이 느껴졌다. 홍인수와 송일우였다. 민서는 어쨌든, 이 상황의 중재자가 되어야 했다. 저들의 입장도 만족시켜야 했고 수정도 잘 타일러야 했다.

"음…. 미리 좀 연락을 할 걸 그랬다. 이렇게 될 줄 알았으면. 잠깐 기다리라고. 내 생각이 짧았네. 미안해."
"……."

순순히 사과를 하자 당장 따질 말이 마땅찮아서, 수정은 말문이 막혔다. 민서가 슬쩍 주위를 보더니 이야기했다.

"아마 관례대로 할 것 같은데…. 내가 알기로 딱히 피해 본 사람은 없다고 하니까. 별 일 없는 조치일 거야. 내 친구라서 특별히 뭘 하는 것도 아니고, 내 친구라서 무언갈 안 하는 것도 아니니까 편히 생각해."

편히 생각해, 라고 하는데 그 내용이 편한 말일 경우는 세상사에 그리 흔치 않았다. 수정 역시 그런 점을 잘 알고 있었고, 자세한 내용이 빠져 있는 의미심장한 말에 눈살을 찌푸렸다. 어? 정말 비밀 조직이고 나는 어디론가 납치되는 건가? 얘는? 내 친군데?

민서가 웃으면서 이야기했다. 평소에 잘 웃지 않는 녀석이었지만 나름대로 수정에게 안심을 주기 위해서 짓는 표정이었다.

그런 두 남녀 뒤로 홍인수가 다가왔다. 뚜벅, 뚜벅. 하고 바닥을 밟는 구두 소리가 왠지 선명하게 들렸다. 홍인수는 조직에 오래 몸을 담으면서, 여러가지 사소한 잡기들을 익히기도 했다. 주로 쓰는 것이야 전투술이고, 무기술이었지만 다양한 도구를 다루거나 가끔 써먹을 기술들을 추가로 익히기도 한다.

연차가 오래된 조직의 점퍼들이 가끔 익히곤 하는 잡기였다.

“자….”

딱. 마술 공연 등에서 보이는 손가락 튕기는 소리를 냈다. 정신이 집중되는 신호였다. 홍인수는 재킷의 안쪽에서 작은 목걸이같은 걸 꺼내 들었다. 흔히, 펜듈럼이라고 하는 물건이었다. 가느다란 사슬 줄 끝에 추를 달아서 천천히 힘을 주면 일정하게 흔들리는 도구. 최면 따위에 쓰이곤 했다.

일반적으로 현대에 정신적인 치료 목적으로 최면을 사용하고는 한다. 특성상 신비주의에 빠져들거나, 혹은 별다른 내용도 없는 사기꾼들이 써먹기도 하는 소재이지만 개인의 의식의 흐름을 유도하면서 일정한 상태를 끌어내는 정도로는 큰 편차가 없이 써먹을 수 있었다.

그마저도 어떤 이의 의식이 지나치게 또렷하고, 의도적으로 거부를 한다면 조금의 효과도 없겠지만 ‘점퍼’의 경우에는 비상시 조금 빠르게 최면이나 암시를 이용하는 방법이 있었다.

그렇게 대단한 일은 하지 못하고, 사소한 암시를 걸 뿐이었다. 그것도 현실과 관계된 종류는 불가능했고, 그저 정신이 없을 때 눈앞에 벌어진, 상식 바깥의 일처럼 느껴지는 특정한 정보에 관해서만 유용한 편이었다.

그러니까, 일반인에게 도약의 과정을 들켰을 때 써먹기 좋은 방법이었다. 적당히 말로 이해하기 어려워 보이는 상황을 얼버무리고 숨기는 것을 심화시킨 방법이었다.

일반적으로 머릿속에 깊게 자리잡은 기억이나 상식, 현실적인 논리 과정 내에 있는 것이라면 순간의 암시로 관여를 하기 어렵겠지만. 목격자 또한 제대로 인지를 하기 어려운 점프, 와 같은 현상에 대해서라면 이런 류가 잘 먹혀들었다.

보통 그 대상 스스로가 '착각이었나?'하는 생각을 품기 때문이다.

또한 '점퍼'들이 사용하는 '점프'는 굳이 과학적으로 추적해보자면 사람의 '정신'에 관련된 작용이었다. 뇌, 라는 부위에 대해서.

이러한 맥락으로 점퍼들이 '단체 도약'을 사용할 때 아직 정체가 밝혀지지 않은 미상의 에너지는 점퍼와 피도약자의 정신적인 연결을 돕는다. 그러한 점에서 일반인이 단체 도약을 거절 할 때, 정신적으로 의사 표현을 강하고 정확하게 떠올리는 것만으로 거부할 수 있는 것이었고. 강제적인 건 아니었으나, 눈에 보이지 않는 에너지가 '정신'이라는 각 개인의 컴퓨터에 잠깐 연결을 돕는 것과 비슷했다.

해킹은 아니었으므로, 요령 있게 입력 장치를 이용한다면 일반인도 충분히 점프에 대해서 물리력을 행사할 수 있게 되고 말이다.

그런 점에서 점프라는 능력을 오래 사용한 이들은 이 단체 도약의 원리를 사용해 상대와 정신적인 연결을 유도할 수 있었다. 그것만으로는 어떤 영향력을 줄 수 없었지만, 적어도 상대를 집중 상태로 만드는 것 정도는 가능했다. 단체 도약과 마찬가지로 상대가 경황이 없고 명백한 거절의 의사를 내비치지 않는다면 다소 직접적으로 암시나 최면을 유도할 수 있었고.

일반적인 경우보다, 조금 더 효율이 좋게 최면을 사용할 수 있다는 이야기였다.

홍인수는 손에 펜듈럼의 줄을 쥐고 그것을 늘어뜨렸다. 가까이 다가가며 단체 도약의 요령으로 자신과 수정의 뇌파를 '연결' 상태로 만들었다. 이 상태에서 도약을 시도하면 그대로 단체 도약이 된다. 그러나 점프를 하지 않고 에너지만 사용한 채로 암시를 건다.

이 과정에서 도약의 횟수가 사용될 수도 있었고, 아닐 수도 있었다. 보통 단체 도약이라는 현상의 중간에 작동이 멈추는 것이었으므로, 애매했다. 에너지의 '양'이 있어 그것과 관련이 되는 걸지도 모른다. 보통 암시가 어렵고 오랜 시간이 걸린다면 도약의 횟수가 줄어드는 경우가 많았다.

홍인수는 근처에 다가와 펜듈럼이 잘 보이도록, 정면에서 천천히 좌우로 흔들었다. 진자운동을 하며 일정한 운동성을 가진 보석 추가 정확한 높이로 올라갔다, 내려갔다, 반대 방향으로 다시 올라가는 일을 반복한다.

점퍼의 점프는 의식의 집중을 돕는 도구였다. 상대의 의식이 '거부'라면 발휘 가능한 강제성은 없었으나 '무심'한 상태라면 자연스럽게 '집중' 상태로 만들 수 있었다. 그 중간에도 상대가 딱히 의식적으로 거부하지 않는다면 말이다. 자연스레 청중의 이목을 잡아끄는 매력적인 달변가나 연설가와도 비슷했다.

수정은 불안한 마음 반, 현재 상황에 대한 당황스러움 반으로 있다가 홍인수의 말이나 동작에 일단 이목이 집중되었다. 자연스럽게 그 행동을 바라보게 되었다. 홍인수가 능숙한 절차대로 암시를 걸었다.

"정신을 집중합니다. 천천히, 편안한 상태로 들어갑니다. 흔들리는 추에 시선이 맞춰집니다."

잠을 자는 와중에 듣는 것과 같은 평이하고 나른한 목소리였다. 높낮이가 일정해서, 의식을 놓고 있으면 졸음이 쏟아지고는 하는 그런 말투였다. 홍인수는 오래 걸리지도 않고, 그저 말해야 하는 내용을 읊듯이 주욱 이야기했다. '긴장감이 사라집니다. 눈을 감습니다. 오늘 일을 기억합니다. 당신이 오늘 이 자리에서 본 일은 환상입니다. 잠깐 꿈을 꾸었다고 여기십시오. 당신은 오늘 대학가의 거리에서 친구를 만났습니다. 그 사이에 있었던 일은 머릿속에서 일어난 상상입니다. 오늘 김민서를 만나서, 약속대로 시간을 갖고 헤어집니다.'

천천히 순서대로 상대의 의식이 유도되도록 흐름을 잃지 않으면서 말을 했고, 그 사이에 자신들의 존재에 대해 희미하게 생각하도록 덧붙였다.

'점프'나 '순간이동'에 대한 말을 굳이 하지도 않았다. 그런 단어를 넣는 것이 도리어 의식 중에 집중하게 만들어 기억을 되살릴 수 있기 때문에. 애초에 이야기를 하지 않는 것이 좋았다.

암시暗示는 얼마 걸리지 않았다. 체감 상 1분도 채 지나지 않은 느낌이다. 원래 이러한 일이나, 치료에 필요한 사전 준비 과정이 '점프'라는 특이 능력으로 생략된 탓이었다. 곧바로 심층적인 집중 상태로 들어가게 만들 수 있었고, 그 상황에서 자연스레 이야기를 한 것이다.

물론 다른 최면류가 통하지 않듯이, 이 또한 자신의 의견이 강하고 의식을 유지하려고 애쓰는 상태의 사람에게는 통하지 않는다. 그럴 때는 전에 김민서에게 했을 때처럼 터놓고 말을 하는 편이었다. 이렇게 고도화된 사회였지만, 더욱이 그러하기 때문에 개인의 의견이 묵살되기 쉬운 환경이었다.

온갖 정보들이 범람하는 인터넷에 누군가가 자신이 느낀 것들을 적는다고 해도, 다른 이들의 눈에는 증거도 없이 적는 헛소리일 뿐이었다. 그리고 대대적으로 더욱이 조직에 관여를 하고 찾고자 해도 보통은 연결점이 없어 좌절되는 경우가 대다수이며, 드물게 수완이 좋은 드문 경우에도 점퍼 조직과 연계하는 다양한 단체들에서 제지를 돕는 편이었다.

홍인수로서는 드문 일이었지만, 다른 이의 경우에 도움을 주기 위해서 이토록 최면술을 이용하는 경우가 더러 있었다. 그는 적성에 맞아서 잘 익힐 수 있었고, 도무지 써먹을 수 없는 이들도 물론 많았다. 그런 경우에는 그처럼 적성에 맞는 자가 이동을 해서 대신 암시를 건다.

이 정도로만 해도, 대부분의 경우는 무마할 수 있었다. '점퍼'는 특이한 능력이었지만, 그들이 다른 이들의 삶에 직접적으로 관여하지 않고 방향성을 다른 곳으로 둔다면 곧 잊혀지고 말 일이었다. 지속적으로 영향을 주지 않는다면 결국 상관없는 일이 되게 마련이다. 일상의 관성이라는 것의 작용이었다.

"……."

수정은 눈을 감은 채로 자리에 서 있었다. 홍인수는 흔들대던 펜듈럼을 조심스럽게 말아 쥐고 다시 재킷의 품에 넣어 정리했다.

다행히도, 그녀는 이런 암시에 잘 따르는 편이었다. 홍인수가 송일우에게 눈짓을 했다. 그는 조심스럽게 골목의 끄트머리, 그늘진 곳으로 이동했다. 바깥에서 최대한 잘 보이지 않는 각도로 몸을 둔 뒤 사라졌다. 우웅, 하고 미세한 진동과 함께 도약의 횟수를 1회 소모한다.

송일우가 사라지자 남은 건 민서와 수정, 홍인수였다. 홍인수가 김민서에게 속삭였다.

"친구 잘 챙기고 가십시오. 일단 오늘 일은 알아만 두고, 이번 주 내로 다시 얘기합시다. 사실 그렇게까지 급한 건 아니었는데 서둘러 전하려다 이렇게 됐네요."

오늘 김민서를 만난 건 사소하다면 사소하고, 또 급하다면 급한

용건이 있어서였다. 당장 민서를 유용할 수 있다면 좋겠지만, 시간을 두자면 못 둘 것도 없는 일이다. 홍인수는 일단 민서가 일상을 보내도록 하고, 차후에 조력을 구하기로 했다.

“네, 살펴가세요.'

민서가 수더분하게 답했다. 홍인수는 그의 어깨를 툭툭, 건드리곤 말했다.

”처음 들었던 소리를 들으면, 당신은 천천히 의식이 선명해집니다. 오늘 있었던 일은, 친구를 만나서 잠깐 거리를 걸었던 것뿐입니다. 다른 일은 없었습니다.“

딱, 하고 그가 손가락을 튕겼다. 종종 느끼는 일이지만 손가락을 잘 튕긴다. 민서는 어린 시절 연습해보아도 제대로 소리가 나지 않아서 포기했던 일이 있었다. 저 소리를 내는 이들 중에서도 크게 잘 내는 이들이 가끔 있었는데, 홍인수는 뭐라도 하는 양반처럼 저 효과음을 잘 만들어냈다.

홍인수는 손가락으로 소리를 내자마자 자연스럽게, 소란을 떨지 않고 그대로 지나쳐서 골목 밖으로 나섰다. 수정이 눈을 뜨고 정신을 차리기도 전에 그대로 민서의 등 뒤로 걸어간다. 금세 인파에 섞여서 사라졌다. 민서는 천천히 눈을 뜨는 수정을 바라보았다.
”…….“

어딘지 약간 긴장이 되는 구석이 있었다. 말로야 무수히 들었지만, 이런 류의 암시가 정말로 통하는 걸까. 그의 친구가 아주 정신이 없었고, 또 스스로도 어느 정도 당황스러운 일을 잊기를 바랐다면 머릿속이 잘 정리가 되었을 테였다. 그랬다면 잊기 원하는 기억을 잊도록 도와주는 것이었을 테니.

수정은 약간은 지친 몸으로 기억을 되새겼다. 금방 있었던 일은 떠오르지 않았다. 마치 일부러 잊은 것처럼, 민서를 만나서 잠시 걸었던 기억이 대신 덧씌워졌다. 이상하게 몸이 조금 피곤하고, 뛴 것 같았지만 큰 변화까지는 아니었다. 논리적인 정합성에서 크게 벗어나는 상태는 아니었다.

민서가 말을 했다. 약간 어색한 투가 묻어 있었다.

"날이 조금 덥지. 어디 카페라도 들어갈까."
"어… 아니. 만나서 밥먹기로 했으니까…."

수정은 큰 고민 없이 곧잘 대답했다. 그는 고개를 끄덕이며 자연스럽게 골목 어귀에서 벗어났다. 골목으로 향했던 것도 크게 인지하지 못하고 수정이 따라 걸었다. 약간 어지러운 것도 같았지만, 금세 큰 무리는 없어 보였다. 갑자기 뛰느라 땀이 조금 나 보이는 것 외에는.

"전화를 했었더라고, 네가. 내가 진동을 잘 못느끼는지 못들었네. 미안하다."
"왠지 고분고분해진 것 같은데…."

민서는 화제를 돌리려는 듯 이런저런 말을 붙였다. 수정은 그런 그의 태도에 마지막으로 기억하는 모습에서 조금 저자세가 된 것 같은 느낌에 미간을 좁혔다. 어찌 되었든, 민서로서는 걱정하던 일이 없는 듯해서 마음이 놓였다. 그는 그녀를 끌고 미리 봐두었던 음식점으로 향했다.

대학가 근처의 거리였고, 걸어서 얼마 걸리지 않는데 가려던 곳이 있었다. 두 사람 다 면을 좋아했다. 국물도 좋아했고. 칼국수는 둘이 만나면 자주 먹던 메뉴였다.

*

5월 3일. 한국 시간으로 오후 21시를 조금 넘어선 시각.

리시버Reciever는 그에게 주어진 또 하나의 임무를 성실하게 수행하고 있었다. 최길우, 라는 이름의 동양인 청년이었다. 한국인이었고, 한국 태생이었다.

그가 쫓는 대상도 한국인이었다. '점퍼'라는 특수한 능력을 가진 이들의 한국인 비율이 높았다. 드러나고 파악되는 '점퍼'가 전 세계에 존재하는 모든 점퍼인 건 아니었지만 최근 점퍼 조직에서 행적을 아는 이들은 한국인들의 비율이 높았다.

단순하게 조직 내부의 인원들만 보더라도, 한국인의 비율이 높았고.

애초에 그 근원을 알 수 없는 능력이고 에너지였다. 에너지가 다른 이들에게 영향을 미치는 지도 잘 알 수 없었고, 발생 조건도 미지수이다. 현대 과학이 나름대로 발전을 거듭했지만, 직접적으로는 측정도 안 되는 미상의 물질, 파동, 에너지 따위에 대해 정확하게 알아낼 방법이 많지는 않았다.

지금 이 시간에도 과학계의 여러 종사자들이 '조직'과 연이 닿아 연구를 하고 있기도 했지만… 그렇게 진전이 있는 편은 아니었다. 조직이 생겨나고 여러 단체들과 협조와 협약을 맺고 이뤄온 지도 꽤나 시간이 지났음에도 불구하고.

아무튼 최길우는 리더Leader를 쫓고 있었다. 딱히 부를 이름은 없었으므로, 적당히 고른 명칭이었다. '리더'라 함은 어떤 팀이나 단체의 수장을 말하는 호칭이었다. 이에 대해서 설명하자면, 올해 들어서 두각을 나타내며 조직의 골머리를 썩게 만든 점퍼 팀이 있었음을 이야기해야 한다.

점퍼 개인이 능력을 사용하는 건 잡아내기 극히 어려운 일이었지만, 어떤 점퍼가 사회에 영향을 주며 자신의 이득을 취한다거나, 하는 일을 했을 때는 비교적 추적하기가 용이했다.

현대 사회에 발생하는 다양한 사건들 중에서, 일반적인 논리로는 도저히 해답이 나오지 않는 사건들을 추려서, 점퍼의 능력을 대입했을 때 답이 나오는 케이스들을 분류하면 되는 일이었기에 말이다.

점프 능력이 흔적을 남기지 않기에 좋다고는 하지만, 점퍼 자체는 점프를 제외하면 별다른 능력이 없는 일반적인 인간에 불과했다. 기밀 시설에 침입을 하려 해도, 시설 내부 정보가 없다면 영상으로든 뭐로든 모습이 남을 수도 있었다. 지독한 종류의 방범 시스템을 만난다면 부상이나 목숨의 위협 또한 겪게 된다.

그리고 아주 주도면밀한 자들이라 하더라도, 결국 그들이 돈을 빼돌린다면 빼돌려진 돈만큼은 흔적으로 남게 되는 것이다. 그런 때에 현실적으로 말이 되는 '증거가 없는' 상황이라면 그 점이 무엇보다도 점퍼들이 일을 벌였다는 확실한 증거가 되어 준다.

거기서, 이제 여러 명의 점퍼들이 합동 작전을 벌인다면 더욱 큰 '티'가 나게 마련이었다. 일반적인 수사 기법으로 잡아낼 수 없는 추리 선상의 거대한 공백은, 점퍼 조직이 가장 주의를 기울이는 부분이고 추적하기 쉬운 부분이었다.

근 십여 년간 점퍼들이 힘을 모아서 일을 저지른 적은 없었다. 점퍼 조직이 그만큼 활성화가 되었고, 요령이 쌓여서 성공적으로 저지를 하고 점퍼들에게 알게 모르게 입소문이 돌았던 탓도 있었다. 그 정체는 파악할 수 없지만 특수 능력으로 범죄를 저지르려 하면 만나게 되는 이들에 대한 전설같은 소문.

그런 시기를 지나서, 22년도에 들어 두각을 나타내는 이들이 있었던 탓이다. 점퍼 조직이 어느 '팀'에 대해 추적을 시작한 건. 대담하게도, 군사 장비까지 사용하는 듯 하는 여러 명의 점퍼들이 유기적으로 움직였다.

동남아시아와 아시아 곳곳을 오가면서 뒷 세계와 연관이 되고, 청부 의뢰로 막대한 돈을 챙기기도 하고, 직접적으로 은행 기관에서 금품을 터는 것도 같았다. 어디서 설계도라도 얻었는지, 정확한 위치 데이터를 기반으로 금고 내부에 핀포인트로 이동을 한 뒤 대담하게 내용물들을 챙겨서 떠났다.

내부 cctv가 닿지 않는 사각으로 움직여서 흔적이 남지도 않았다. 한 차례도 아니고, 몇 번의 소행으로 조직과 연이 닿은 단체 중 하나에게 소식이 흘러들어와 조직에게 간접적인 조사 의뢰가 맡겨졌다.

물리적으로 불가능한 수법은, 점퍼의 시각에서 보면 단순한 답을 도출하기 마련이었고, 조직은 총력을 다해 불법적으로 움직이는 이들의 뒤를 쫓는다.

그러다 송일우가 걸려들었다. 한국에 들어와서 어떤 연고도 없던 이가 펑펑 현금을 낭비하면서 돌아다니는 모습은 싫어도 눈에 띄는 모습이었고, 일반적인 행운으로도 설명할 수 없는 수준의 거금으로 조직의 추적이 붙었다.

그러다가, 마주한 것이 김민서가 바라보았던 홍인수와 송일우의 대치 장면이었다.

그리고 조금의 시간이 지나, 지금 최길우가 쫓고 있는 대머리의 중년 군인에게까지 닿게 되는 일이다.

"여-"

최길우가 소리를 냈다. 어딘지 모르는 뒷골목이었다. 해가 쨍쨍한 걸 보니 유럽일 수도 있었고, 혹은 미국의 어딘가일 지도 몰랐다. 정확한 건 알 수 없었지만 아무튼 한국과는 정 반대에 있는 어느 나라였다.

슬럼가처럼, 인적이 드문 자리에 길우가 쫓고 있는 상대방이 있었다. 대머리. 선글라스. 군복처럼 보이는 바지. 윗도리는 가죽 재킷을 입었다. 체격이 두터운 편이었고, 근처에서 몸싸움을 한다면 쉽지 않아 보이는 몸뚱이다. 품이 넓은 차림새 안에 어떤 종류의 무기가 있을지 몰랐다. 최길우도 나름대로 방탄 재질의 옷을 안에 껴입고 있었고, 여러 장비가 있었지만 쉬워 보이는 상대는 아니었다.

이럴 때는 차분히 시간을 들여서 천천히, 체력을 빼놓는 게 좋았다. 점퍼로서 도약의 횟수이든, 기본적인 육체의 지구력이든 말이다. 최길우는 조직 내에서도 꾸준하게 단련을 하는 편이었고, 또 젊었다. 상대방의 상태를 보아하니 그에게 지구력에서 밀리기는 쉽지 않아 보인다.

어딘가의 뒷골목. 해가 드는 일직선상의 골목에서 상대를 보고 불렀지만 그는 대답하지 않았다. 리더는 신경질적으로 보이는 뒷모습으로, 대꾸도 않고 다시금 사라졌다. 최길우는 몇 걸음에 그가 사라진 위치로 가 닿는다.

요령과 경력이 쌓인다면, 이런 식의 추적도 가능한 편이었다. 점퍼들이 느낄 수 있는 에너지의 잔향이 있었다. 물리적인 관측 기구로는 제대로 계측할 수 없었지만, 실제로 능력을 사용하는 점퍼들에게는 관련한 감각이 향상되는 지도 몰랐다.

편의상, '점프 에너지Jump Energy'라고 불리는 것의 흔적을 더듬는다. 수 초 이내라면, 그 대상이 어디로 이동을 했는지까지 알 수 있었다. 그 흐름을 따라 자연스레 도약을 시도한다.

보통 모두가 할 수 있는 재주는 아니었지만, 조직의 점퍼들은 이런 류의 추적술에 능통한 자가 많았다. 점퍼 조직이 주로 하는 일이 이런 일이었기에. 그리고 최길우는 개중에 최고의 능력을 발휘하는 인원이었다.

오래 걸리지도 않아 곧바로 따라간다. 리더가 사라진 것과 거의 한 호흡 내의 텀을 두고 따라 붙는다. 우웅, 하고 점프의 전조 현상과 함께 그가 사라졌다.

”거 할 말 없습니까?“

최길우가 도착하자마자 말했다. 도착하자마자는, 점퍼로서도 잠시 상실했던 시야가 돌아오며 순간의 적응이 필요한 기간이지만 단련된 점퍼라면 그 텀을 최소한으로 줄일 수 있었다. 약간의 터프함으로 예상을 밑바탕삼아 바로 움직인다면 상대에게는 텀이 없는 것처럼 보이게 할 수도 있었다.

이번에도 마찬가지로 인적이 드문 장소였다. 어느 야산. 시간은 시커먼 어둠이었다. 밤의 산은 더욱 어둡다는 걸 생각해보면 짐작 가능한 시간대가 상당히 넓어진다. 다시 돌아와서 한국일 수도 있었고.

어쨌든 그들은 지루한 꼬리잡기 중에 있었고, 지금 지나가는 이 곳이 정확히 어딘가가 그렇게 중요하지는 않았다.

야산의 공터였다. 나무들이 스산하게 바람에 부딪혀서 그 나뭇잎 소리를 내었다. 달빛이 조금 있기는 하지만, 인위적인 불빛들로부터 멀어 주위를 인식하기에 어렵다.

다만 상대방이 눈 앞에 있는 것은 파악할 수 있었다. 예민한 기척을 가진 그는 쫓고 있는 상대의 윤곽을 곧바로 찾아낸다. 두터운 실루엣. 리더는 이번에는 뒤를 돌아보았다. 여전히 대답은 없다.

어둠 속에서 움직인다면 최길우가 반응하지 못하리라 생각을 한 것일까. 리더가 갑작스럽게 거리를 좁혀 왔다. 대비를 하고 있던 것 같은 움직임이었다.

'흠.'

이라고, 리시버는 속으로 생각했다. 전투, 좋다. 격투에 익숙하고, 도구에도 능숙한 자라면 자신감을 가질만했다. 본인이 정면에서 우위를 가질 수 있을 거라 생각할만한 무게감도 있었다. 얼핏 보면 도박수를 걸어볼 만한 체급이었다.

다만 최길우는 체격적으로도 작은 편은 아니었고, 상대가 덤벼들 때 세계 챔피언이라고 해도 시간을 끌어볼 수는 있었다. 그리고 그 잠깐의 시간이면 충분하다. 몸이 닿는 순간 서로 도약은 못하는 것이나 마찬가지였다. 한쪽이 움직이면 다른 쪽이 끌려갈 테고, 혹은 원하지 않는다면 재밍을 걸어서 취소를 해도 좋다. 그럴 땐 계속해서 도약을 소비하면서 박투를 계속하는 거다.

의식을 잃지 않고 계속해서 틈을 보며 도약을 걸다가, 어느 쪽이 빈틈을 찌르면 상대가 원하는 장소로 이동하게 되는 것이다. 보통은, 자신의 지원군이 있는 장소가 될 테였고, 그렇게 된다면 리더는 그곳에서 빠져나올 수 없었다.

압도적으로 자신을 무력화시킬 자신이 있다면 좋은 선택이었지만, 그건 분명 어려운 일이었다.

리더는 칼을 빼들었다. 그가 입고 있는 재킷에서 빠져나온 나이프였다. 이들은 나이프를 애용하는 모양이었다. 송일우도 그러더니. 근접 전투는 나이프로, 거리가 벌어지면 총을 쓸 가능성도 배제할 수 없다.

순식간에 야산의 땅을 박차고 멧돼지처럼 상대가 달려들었다. 리시버는 상대의 움직임을 놓치지 않고 주시했다. 점프를 이용한 전투라면, 그는 분명 스페셜리스트였다. 조직에서도 '소드 마스터'라는 별명으로 악명이 높은 한 사람을 제외하고는 그를 제압할 수 있는 자는 없었다.

몇 초간의 일이다. 몇 미터 정도의 거리를 좁혀 오며 나이프를 찌르는 동작은. 리시버는 정면에서 받지는 않는다. 방탄과 방검 기능이 있는 안감을 속에 입었지만, 굳이 맞아줄 필요는 없었다. 노출된 손이나 얼굴 부위는 더군다나 찔릴 가능성도 있었고.

훅, 하고 그가 제 위치에서 사라졌다. 순식간에 이루어지는 정밀 도약은 그의 주특기다. 리시버가 달려오는 리더의 바로 뒤에 나타났다. 그건 정말로 놀라운 묘기에 가까운 것이었다. 움직이고 있는 대상의 등 뒤에 붙어서, 곧바로 조르기로 제압 가능한 자세로 나타나는 일은 말이다.

상대가 움직이는 속도까지 계산을 해서 미리 이동을 해야 했다. 조금이라도 위치를 벗어나면 애초에 도약이 이루어지지 않거나, 다소 엉뚱한 곳으로 가게 된다. '도약'이라는 현상은 '중첩'을 허용하지 않았다. 찰나의 순간에 얽혀서 같은 공간 좌표에 두 사물이 있게 된다면 도약은 제대로 작동하지 않는다.

움직이는 리더의 걸음 속도를 계산한 뒤 그 몸에서 아주 조금, 손 반 뼘 거리만큼 이격한 상태로 나타나는 기술은 묘기 중의 묘기에 가까운 일이었다. 보통은 이렇게 되면 벗어날 수 없다. 아무리 반사 속도가 빠른 인간이라 하더라도 1초 아래의, 0점 수 초 정도의 텀은 있다. 그리고 관성대로 움직이는 몸뚱아리가 이미 제압 동작을 마친 리시버의 품에 걸리는 그 짧은 시간은 반사 속도 한계를 넘는 순식간이었다.

리더의 입장에서 보자면, 순식간에 앞의 사람이 사라지고 돌연 자신의 시야를 가리는 팔뚝 따위를 보게 되는 것이다. 오감이 민감하다면 자신의 주위에 감싸고 있는 사람의 인기척과 체온도 동시에 느낄 테였고. 리시버는 훈련된 자세로, 시야가 회복되기 이전에 자세를 만들고 힘을 준다. 보통 그가 이동을 하는 것과 움직이는 대상이 그의 제압기에 당하는 건 동시였다.

후욱, 하고 소리가 났다. 최길우가 만들어낸 소리는 아니었다. 그는 제압을 완료한 상태나 마찬가지였으므로. 예상 외로 움직인 건 리더였다. 두터운 몸집을 가진, 군인복의 사내가 그의 품 안에서 사라졌다. 순식간의 일이었고, 최길우의 예상을 벗어나는 움직임이었다.

최길우는 상황을 따지기 전에 적의 도약의 흐름을 찾았다. 그 과정 역시 재빠르게 마쳐진다. 도약은 장거리의 종류였다. 적은 근접전을 시도했다가, 곧바로 포기했다. 지루한 추격전의 시작이었으므로, 최길우는 마다하지 않고 다시 움직였다. 후욱, 하고 자그마한 소리와 진동이 흔적처럼 남고 그가 야산에서 사라진다.

리더가 한 일은 명백하게 반사신경의 한계를 뛰어넘는 반응이었다. 그는, 애초에 위협만 준 다음, 눈앞의 점퍼가 이동을 하자마자 상황을 예상하고 곧바로 이동을 시작한 것이었다. 그렇기에 최길우가 나타나자마자, 0.5초보다 훨씬 아래의 순간 반응으로 먼저 도약을 하기에 이르렀다.

*

최길우는 도망자를 따라, 어느 아프리카의 평야 지역에 나타나면서 그런 상황을 순식간에 인지했다. 그의 다음 행동을 예측하고 움직였다고 밖에 볼 수 없었다. 생각보다 노련하고, 실력이 좋은 자였다. 어쩌면 점퍼 조직에 대해서도 다양한 정보들을 알고 있는 이일지 몰랐다.

그런 이이기에, 도리어 이렇게 대담하게 근래에 일을 벌일 수 있던 거였겠지. 그렇다면 조직의 추적을 예상하지 못했나? 혹은 추적을 당하고도 따돌릴 수 있을거라 생각했을지도 모른다. 아니면 팔다리를 내어 주듯이 팀원들을 제물로 바치고 자신의 신변 정도만 수습할 생각이었을 지도 모르고.

한국은 밤이었으나, 초원은 한낮이었다. 자리를 옮기자마자 최길우가 느낀 건 지나치게 뜨거운 햇살이었다. 옷을 다 입고 있는데, 가려지지 않은 맨살은 따가울 정도다. 다행히 태양빛을 정면으로 바라보는 구도는 아니었다. 초원의 어느 나무 아래. '리더'는 그 그늘에 있었다. 몇 걸음 앞에 최길우가 햇빛을 받으며 있었고.

바람이 불어오고 자연의 냄새가 났다. 건조한 공기. 도심에서 맡을 수 없는 풀 내음이었다. 어딘가에 짐승이 변을 쌌는지 그런 냄

새도 섞여 있는 듯하다. 후덥지근하고 오래 견디기엔 싫은 날씨였다.

주위엔 짐승의 기척도, 사람의 기척도 없었다. 넓은 초원 평야에 그들뿐이었다. 멀리로 야트막한 산 따위가 보인다. 드물게 나무가 서 있다. 바람에 따라 건조한 풀들이 잎사귀를 흔들어 댄다.

그야말로 임팔라나, 사자 따위가 있으면 알맞을 듯한 광경이었다. 리시버와 리더. 누가 맹수이고 사냥감인지는 아직 확실하지는 않았다. 물론 최길우는, 어떤 상황이 벌어지더라도 놓아줄 생각은 없었다.

작전 중에는 상대의 사소한 행동 하나하나에 신경을 쓰게 된다. 온 신경을 추적 대상에게 쏟고 그 손짓과 발짓 하나에도 반응을 해야 했다. 잠시라도 정신을 놓치면 곧바로 등 뒤에서 칼을 박을 수 있는 게 전투에 익숙한 점퍼들이었다. 그들에게 서로 간에 놓인 거리란 마음을 놓을 수 있는 조건이 아니었다. 보이지 않는 사각을 찌르는 칼날은 때로는 총알보다도 사람을 쉽게 없앨 수 있었다.

"푸."

최길우는 그런 상황에서, 의식적으로 밝게 행동했다. 밝게, 라는 말이 잘 어울렸다. 상황에 어울리지 않는 여유로운 행동들은 그 스스로 마인드 컨트롤을 하고 여유를 가지는 데 도움이 된다. 긴장으로 조금이라도 몸이 굳지 않도록. 최적의 상태를 유지하고 마음을 가다듬는 게 전투에서의 생환률을 높이는 그만의 방식이었다.

그는 유난스럽게 입으로 바람을 뱉으며 말을 건다.

"더워 죽겠네. 이런 곳은 또 언제 와본 거요? 아니면 도주로로 쓸만한 곳들 좌표를 외우고 다니나?"

보통 점퍼가 점프를 하기 위해서는, 위치 정보가 필요했다. 그건 수식적인 위치 좌표, 숫자일 때도 있었고, 혹은 자신이 직접 가보고 느낀 장소일 때도 있었다. 어느 쪽이든 점프에 이용 가능하다. 수식을 외우는 데 젬병인 사람은 직접 발로 돌아다닌 곳들을 도약의 위치로 삼는다.

그런 점에서, 역설적으로 점퍼들의 점프에는 '편향성'이 생기게 마련이다. 진정한 의미로 지구상 어디에나가 아니라, 자신이 자주 이동하는 곳, 혹은 머릿속에 기억하는 몇 가지 좌표들을 중심으로 도약을 반복하게 되는 것이다.

도약은 필연적으로 시각적인 기이함을 동반하니만큼, 다른 사람의 눈에 닿지 않는 곳으로 제한된다면 때로는, 아주 드문 확률로 점퍼끼리 마주치는 경우도 있을 수 있었다. 어느 어스름한 골목의 구석 따위를 점프로 이동하다가 마주치고는 하는 것이다.

이전에, 조직이 없던 때에 그런 일들이 있었다고 한다. 서로 마주치고 서로를 확인하고, 다른 점퍼의 존재에 대해서 알게 되고. 그럴 때 당장 싸움이 벌어지는 경우는 드물다. 호전적인 성향이라면 모르겠지만, 한쪽이라도 싸움을 회피한다면 점퍼는 잡아내기가 지독히 어려운 부류였다. 서로에게 서로가 말이다.

그런 어려운 일을 주업으로 삼고 살아가는게 현대의 조직 내의 점퍼들이었고, 개중에서도 리시버, 최길우였지만.

리더는 변변찮은 대답을 하지 않았다. 극도의 경계 상태일지도 모른다. 애초에 이전 순간에서, 그의 포획을 벗어난 방법도 기가 막힌 수준이었다. 조직 내에 점퍼들을 잡는 전문 추격자에 대한 정보가 그에게 있는 게 분명했다. 그게 아니라면 보통 반응하기 어려운 조심성이었다.

점퍼 조직의 조직원들은 보통 실없는 모습을 가장한다. 최대한 상대의 방심을 유도하고서라도, 점퍼를 잡는 데에 실패 확률이 늘 동반하는 탓이었다. 그러면서도 본신의 능력들을 개발하는데 힘을 다하는데… 그런 갭에 속지 않고 조직원들의 실력에 곧바로 대응하는 상대는 아주 드문 경우였다.

보통 점퍼 조직의 젊은 인원들보다 오랜 시간을 점퍼로서 살아오고, 전 세대의 조직원들과 마주한 적이 있는 인간들이 그렇게 움직인다.

길우는 상대가 그런 인간 중 하나라고 생각했다. 용케도, 조직에 편입되지도, 제압되어 통제 아래에 있지도 않고 개인적인 움직임을 계속해온 모양이었다.

길우가 상대를 마주한 채로 여러 추리들을 이어갈 때 리더가 움직였다. 그는 팔을 천천히 들어 올려서 뒤로 바지춤을 잡았다. 품이 넓은 옷차림새에서는 어떤 장비가 튀어 나와도 이상하지 않았다. 권총류라면 바지틈 어느 쪽에나 숨길 수 있었다. 길우는 최대한 긴장감을 끌어올리며 대비했다. 상대가 이쪽으로 겨누는 동작을 할라치면, 곧바로 이동해야 했다. 총알은 빠르지만 그것을 위한 사람의 움직임은 눈으로 보고 대비할 수 있다.

상대방과 반사 속도를 겨루는 일이었다. 지금 그는 방탄 소재의 내의를 위아래로 껴입고 있기에, 맞아도 죽지는 않으나 더럽게 아플 거고 적어도 잠시간은 움직임이 멈출 테였다.

선불리, 다가가서 상대를 자극하지는 않았다. 상대가 꺼내드는 물건의 정체를 확실히 파악하고 그에 따라 대응을 해도 늦지 않는다. 리시버는 이러한 류의 일에 프로라고 해도 좋은 사람이었다. 그 정도의 여유나 침착함은 갖고 있다.

리더의 두꺼운 팔이 허리춤을 잡고, 한 빠르게 몸을 뒤튼다. 어깨가 움직이는 모양을 봐서는 발사 무기였다. 이쪽을 재빠르게 겨누려는 동작처럼 보인다. 총처럼 보이는 무언가가 보이기 전에, 그 예비 자세만으로 리시버는 일단 도약을 했다. 멀리 갈 필요는 없었다. 요는 상대가 예상하지 못하는 지점으로 방향을 바꾸면 충분하다.

순간 이동의 재빠른 발동에는 약간의 요령과 준비, 연습과 재능이 필요했다. 점프 에너지라 불리는 미상의 에너지는 도약을 발동할 때 움직이며 작용한다. 도약은 순식간에 이루어지지만 굳이 따져보자면, 점퍼가 느낄 수 있는 미세한 과정이 있었다.

머리로 점프를 인식하고 발동하는 생각의 단계에서, 그 다음 순간에 점프 에너지가 외부로 발출되며 준비 상태에 들어간다. 그리고 곧바로 이동을 하게 되는 것인데, 이 준비 상태까지는 임의적으로 만들어낼 수 있었다.

그 다음에 도약의 시전을 잠시 늦추거나, 지연시킬 수 있다. 잘 못하면 그대로 점프가 발동되거나, 혹은 도약이 되지도 않았는데 도약 횟수가 줄어드는 참사가 있을 수 있지만, 그 이전까지의 반응을 미리 해둔다면, 지정한 장소로 재빠르게 점프를 할 수 있는 이점이 있었다.

이전 야산에서 리더가 했던 일과 결국 비슷한 일이었다. 조금 더 세분화된 요령이 필요했지만, 미리 타이밍을 계산하고 준비를 하는 것이다. 원래 눈 깜박하는 속도, 혹은 한 호흡을 짧게 뱉는 속도보다 타임을 줄일 수 있지만 이런 요령이 있다면 거의 노 딜레이로 움직이는 것도 가능했다.

진정한 의미의 노 딜레이는 아니겠지만, 상대하는 적의 입장에서는 그렇게 느껴지기도 한다.

리시버는 그런 요령으로, 상대의 움직임의 기세를 보다가 적당한 타이밍에 맞추어 준비 상태를 만들어두었다. 결국 상대가 허풍을 치는 거든 뭐든, 시야의 사각으로 움직여서 허를 찌를 수 있으면 그만인 일이었다. 이미 사용한 점프를 공격적으로 이용해 기회를 만들어내면 된다.

아프리카의 초원에서 최길우의 신형이 사라졌다. 바람 소리 탓에 점프의 전조음이 들리지는 않았다. 최길우는 리더, 사내와 5-6m 정도의 거리를 두고 마주 보고 있다가, 조금 더 떨어진 곳에서 모습을 드러냈다. 위치는 리더의 시야에서 왼쪽으로 90도가 넘게 이동한 자리였다. 왼쪽 측면보다 조금 더 돌아간 자리. 대각선 방향으로 움직이면 오른팔로 꺼내 들던 무언가를 사용하기 위해 몸을 반회전 시켜야 했다.

길우는 리더의 오른손에 들린 무언가를 경계하며 그것의 정 반대 방향으로 움직인 것이다.

점프의 다음 위치를 예상하는 건 거의 본능에 의지하는 일이었다. 수많은 경험으로 단련된 점퍼끼리의 전투에서, 시야의 사각 어디로 이동해야 상대에게 가장 까다로운 지를 숙지하고 있다가 선택지를 고르는 것이다.

자신도, 스스로에게 가장 취약한 사각이 어딘가를 상상하며 움직여야 했다. 리더는 그런 일에 재주가 있는 편인 모양이다. 다소 늦기는 했지만, 금세 길우가 움직인 자리를 예측하고 몸을 돌렸다.

돌아오는 몸과 팔에 잡힌 무언가가 힐끗 보였다. 멀리서 보기에도 총처럼 보이는 물체다. 리시버는 그 순간을 기다리지 않았다. 도약의 전부터 머릿속에 생각해두었던 동작을 바로 실행한다. 그 역시 허리춤에 간단한 원거리 무기 정도는 달고 움직인 상태였다.

공기총, 그렇게 크지 않은 부피의 권총형이다. 맞아도 죽는 정도는 아니다. 잘못 맞으면 물론 결과적으로 죽겠지만. 최길우는 사격 솜씨도 쓸만한 편이었다. 이 정도 거리의 정지 표적이라면 원하는 자리에 순서대로 골라 맞힐 수 있었다.

가장 편하게 꺼낼 수 있는 자리에 있는 홀더에서 총을 빼 들었다. 오른손이 자연스럽게 움직이며 상대를 겨눈다. 물리적인 반사 속도는 리시버가 조금 더 나은 듯 했다. 리더가 몸을 제대로 틀기 전에 그의 손가락이 방아쇠를 당겼다. 탕! 깡! 폭음이 들리며 탄이 날아갔다. 화약총이 아니라지만 위력은 상당했다. 조직의 연구소와 연이 닿은 곳들에서 특제로 만들어준 물건이기도 했고, 가볍고 연사 능력도 좋다.

”컥.“

탕!

하고 다시 한번 총성이 울렸다. 그러나 그 자리에서 최길우는 이미 사라진 뒤였다. 짧은 정면 승부의 피해자는 리더 뿐이었다. 그는 허벅지의 측면에 총알을 맞았다. 관통상까지는 아니었다. 대퇴부에 총알이 파고든 것 같았다. 일부러 위력을 극한까지 높이지 않은 물건이었다.

리더는 아주, 충격에 익숙한 인물인 듯 대퇴부가 파이는 고통에도 쓰러지진 않는다. 그 격통 속에서도 침착하게 길우가 있던 자리를 쏘았으니. 권총탄이 허공을 가로질러 초원의 너머로 사라졌다. 지평선 끝까지 아무도 없는 평야였다.

후욱, 하고 점프의 전조음이 느껴진다. 리더는 상황이 좋지 않음을 느꼈다. 점프가 느껴진다는 건 근처로 이동했다는 말이었다. 여기서 다시 한번 몸을 돌려 총구를 노려볼 수 있었다. 혹은 가까이에서라면 체중을 실어 제압을 해보는 것도 가능했다. 허벅지의 격통과 쇼크는 강했지만 아예 움직이지 못하는 수준은 아니었다.

총에 맞았지만 피가 드라마틱하게 터져 나오지 않는다. 리더의 군복 바지에는, 여러가지 잡동사니가 많이 들어 있었다. 개중에 금속제의 물건들도 있었고, 그것들이 어느 정도 공기총탄의 위력을 줄여준 모양이었다. 더럽게 아파 보였지만, 단숨에 회복 불가능한 중상을 입은 건 아닌 모양이다.

그런 상황에서, 리더는 도박수를 던지지 않았다. 조금 더 가까이서 드잡이질을 해보기 보다는 그냥 깔끔하게 이동을 택했다. 훅, 하고 그의 신형이 곧바로 사라졌다. 최길우가 옮긴 위치는 리더의 뒤였다. 그는 나무 그늘 아래, 리더가 있어야 할 자리로 이동했지만 그저 빈 자리만 확인했을 뿐이다. 본능적으로 JE(점프 에너지)를 확인했다.

곧바로 연속적인 도약의 준비 상태로 들어갔다. JE가 가리키는 상대의 목적지는 먼 곳이었다. 이 자리에서 전투가 종료되었음을 알고 곧바로 따라간다. 땡볕, 아프리카의 한낮, 흙먼지와 짐승들의 변 냄새 따위가 나는 초원에서 둘 모두 사라졌다.

*

점퍼의 점프, 도약은 하루에 약 100에서 200회 정도가 한계였다. 점프를 점프 에너지를 소모하는 일이라고 보았을 때, 그 총량은 개인이 아무리 크게 가져 봐야 200회 근처가 최대치였다. 일반적인 기준이었다.

'조직'은 여태껏 힘을 보탰던 모든 조직원들의 개인 데이터를 기록하고 있었고, 그들과 연이 닿았던 많은 점퍼들의 기록도 갖고 있었다. 통계적으로 보았을 때, 200회 이상의 도약 한계를 가진 이들은 1% 미만이었다.

한 시대에 파악된 점퍼가 백여 명을 넘는 때가 많지 않았던 걸 생각해보면, 동시대에 있을까 말까한 확률이었다.

개중에서 조직이 보유하고 있는 점퍼들 중 특출난 인원들이 몇 있었다. 주로 개인 임무에 많이 활용되는 인원들이다. 단독 전투력이 높은 인원들. 근접 전투도 능숙하고, 무엇보다 점프 에너지의 보유량이 많아서 도약 한계 횟수가 높은 이들이 그렇게 다루어졌다.

'소드 마스터'라는 별명을 가진 홍인수와, '리시버'라는 별명의 최길우가 있었다. 일단 둘만 놓고 보더라도, 통계적 확률은 뛰어넘는 수가 나온다. 두 조직원 모두 한계 횟수가 200회가 넘었다. 홍인수는 210여 회였고, 리시버는 그것을 한참 뛰어넘었다. 돌연변이처럼 기이한 보유량을 가진 점퍼가 새로이 등장하지 않는 이상, 아마 근 몇십년 간은 최길우가 가장 많은 한계 횟수를 보유한 점퍼일 확률이 높았다.

그렇다는 점에서, 점프로 이루어지는 지루한 추격전을 벌일 때 리시버가 질 확률은 거의 없었다. 평균적인 점퍼들의 도약 한계 횟수에서 두 배를 넘는 수치라면, 심지어 몇 번이나 실수를 하고 다른 식으로 이용을 한다고 해도 넉넉하게 남는 수였다.

더군다나 최길우는 정밀한 도약을 비롯해 점프 자체에도 숙련도가 높은 인물이었다. 상대에 비해 횟수를 낭비할 확률도 적다. 극단적으로 말하자면, 하루에 두 명 이상의 점퍼를 총력을 다한 추격전으로 잡아낼 수 있는 요원이었다.

'리더'는 두 명의 바톤 터치를 하는 추격자들과 꼬리 잡기를 하는 셈이었다.

"후."

리더가 가파른 숨을 내쉬었다. 점프를 하는데 체력이 소모되지는 않는다. 정신적인 집중이 도약의 발동 트리거라고 하면 정신력이 소모되는 기분이 들 수는 있었지만. 컨디션에 따라 난조가 있을 수 있어도 연속 도약 때문에 극심한 스트레스를 받는 경우는 여태껏 사례가 없었다.

점프 외에 잠깐 잠깐의 몸싸움을 시도했던 일이나, 과하게 긴장을 했던 탓에 숨이 올라온다. 허벅지의 총상도 깊지는 않지만 피가 나기는 했다. 다행히도 상대가 쏜 총이, 그로서는 정확히 알지 못해도 위력이 감소된 종류의 총이었고 또 바지의 옆 주머니에 습관적으로 넣어두는 금속품들이 그것을 막아주었기에 단번에 다리가 아작나지는 않았다.

물론 더럽게 아프고 지혈도 해야 했지만 당장 기동성을 상실하거나 정신을 잃을 정도의 쇼크는 없다.

그는 그대로 멈추지 않고 연속 도약을 했다. 아프리카의 어느 초원에서, 북반구로 갔다가 남반구로 이동한다. 다시 몇 개의 대도시를 거치면서 빠르게 이동했다. 미국의 인적 없는 골목가에 나타났다가, 다친 다리를 끌고 몇 초간 더 움직여서 근처 건물로 들어갔다.

건물 내부의 어두컴컴한 자리에서 다시 이동을 한다. 그렇게 단순한 도약이 아닌 몇 번의 도주를 섞어 점프를 시도했다. 그가 6번째의 도약으로 다다른 곳은 인적 없는 무인도였다. 태평양 어딘가에 있는 곳이었다. 그도 정확한 위치는 모른다.

이런 일을 대비해서, 알음알음 알려지는 비밀 거처 중에 한 곳이었다. 은밀하게 점퍼들 사이에서 단체 도약을 통해서 오가며 위치 정보를 기억해두었다가, 도주 시에 섞어서 사용하고는 하는 것이다.

기후로 보자면 열대에 가까웠다. 후덥지근한 날씨. 흔하게 상상할 수 있는 울창한 자연림이 있는 그런 무인도였다. 먹을 것이 모자라지는 않는다. 동식물도 나름대로 있었고. 맹수가 튀어나올 수도 있었지만. 아무튼 넓이도 꽤나 있는 이름 없는 무인도였다.

사위四圍는 캄캄한 어둠으로 시야를 가리고 있었다. 그는 익숙한 자리로 이동을 한듯, 거침없이 움직였다. 아무리 연속으로 도약을 해도 고작 몇 초 정도의 텀을 벌 뿐이다. 상대가 노련하다면, 그마저도 장담할 수 없었다. 그는 곧바로 움직여야 했다.

허벅지가 아리다. 피가 배어 나온다. 움직일 때마다 통증이 더했고 군복 바지에 붉은 자국이 넓어져 갔다. 한 번에 쏟아져 나오는 게 아니라는 점에서, 생각보다 상처가 얕을지도 몰랐다. 상대도 고작해야 제압용으로 총을 쏜 것일지 모른다. 상대가 준비한 총이 보통보다 훨씬 위력이 경감된 종류였고, 자신이 주머니에 넣어둔 쇠판이 꺠나 방탄 역할을 잘해 준 모양이다.

울창한 수풀. 열대수의 넓다란 이파리 따위가 길을 막고 있었다. 그는 피로감이 올라오고 있는 팔다리로 그것들을 슬쩍슬쩍, 치우고 잎사귀에 맞으면서 전진했다. 발아래로도 풀이 길게 자라 있어서 통행을 막는다. 어쩔 수 없었다. 최대한 빠르게 움직이고, 흔적을 감추어야 했다.

자신이 도착한 곳은 울창한 열대 숲의 한 가운데였다. 상대가 이곳에 도착한다면 먼저 어둠과 수풀 속에서 방향을 찾아내야 할 테였다.

점퍼가 보통 점퍼의 기척을 느끼는 건 도약 시에 사용되는 점프 에너지의 탓이 컸다. 그 외에는 그들도 평범한 추적술을 발휘해야 한다. 발자국, 주변의 지형 지물이 훼손된 상태, 혹은 단순한 추리와 감각.

수 초의 시간동안 다친 다리를 이끌고 수준 높은 은신술을 보일 수는 없었다. 다만 이럴 때 사용하려고 마련해 둔 비처였으므로, 사용할만한 좋은 지형은 있다. 그는 끙끙대며 빠르게 움직였다.

앞으로 몇 걸음, 걷자 아래로 떨어지는 경사가 있었다. 그는 그대로 바닥에 몸을 대고 굴렀다. 후두둑, 하고 수풀 따위에 몸이 걸렸지만 그대로 굴러 떨어진다. 그리 높지 않은 경사였다. 울창한 수풀이 다시 지나갔던 흔적을 감추며 원래의 모습을 자랑했다. 나무가지 따위가 있는 게 아니라 그냥 낮은 수풀이 길게 자란 것 뿐이었다.

그대로 떨어지면, 마치 함정에라도 빠지는 것처럼 작게 파둔 구덩이에 몸이 들어가게 된다. 수풀과 어둠, 갑자기 나타나는 경사로 쉽게 발견하기 어려운 곳이었다. 그야말로 자신처럼 누운 채로 굴러서 그 구멍의 높이에 딱 맞게 몸을 집어 넣는다면 모를까. 바깥에서 시선으로 찾기는 불가능에 가깝다.

그는 그대로 그 구덩이에 몸을 넣었다. 축축한 흙이 온 옷을 적신다. 물기를 머금은 땅이었다. 물론, 생명이 풍부한 열대의 숲이나 그늘진 구덩이에는 온갖 종류의 생물들이 꿈틀거리고 있었다. 그런 것들을 신경 쓸 새는 없었다. 아주 집요하고 또 능력이 좋은 추적자로부터 도망갈 수 있다면, 얼마든지 감수할 수 있는 일이었다.

쿵, 하고 다소의 소리가 났지만 어쩔 수 없다. 무인도로 이동을 하고 채 십 초가 걸리지 않아 그는 구덩이 속에 몸을 감추었다. 그리고 포복을 한 것처럼, 엎드린 자세로 그 안에 있다. 입가에 흙부스러기 따위가 들어와서 씹혔다. 텁텁했지만 크게 티를 내지는 못했다. 그저 가볍게 숨을 내쉬면서 바람을 불 뿐이다. 조금 호흡을 정리하고, 위치를 가늠한 다음에 그가 움직였다.

엎드린 자세로 천천히, 그대로 옆으로 이동하는 것이다. 높이가 낮은 구덩이는 사람이 애써 움직이면 들어갈 수 있는 깊이였고, 그 뒤에 동굴로 이어진다. 큰 굴은 아니었지만 잠깐 쉴 수 있는 거처 정도는 되었다. 허리를 구부정하게 하면 충분히 움직일 만한 높이의 굴.

그에게 이 무인도의 위치를 알려 준 점퍼나, 혹은 그 윗대의 점퍼들이 조금씩 만들어낸 은신처에 가까웠다. 포복 자세로 약 1, 2m정도를 옆으로 이동하면 몸을 펼 수 있는 공간이 나온다. 완벽한 어둠 속에서 머릿속 지식에 의존해 가는 움직임이었다.

슬쩍, 굳은 몸을 일으켜본다. 허리에 닿는 것이 없는 구간이 있었다. 그는 그대로 몸을 더 밀어 넣어서, 빈 동굴에 무사히 몸을 집어넣었다. 시커먼 어둠이었다. 다른 동식물이 자리를 잡지는 않았다. 동물들이 싫어하는, 인위적인 냄새를 가진 물건들을 두거나 스프레이 따위를 뿌려두기도 한다, 주기적으로.

동굴은 그대로 낮은 자세로 이동을 하면 바깥으로 통하는 통로였다. 그는 곧바로 움직이지는 않았다.

잠시간, 그 빈자리를 더듬대며 익숙한 자세를 잡는다. 금방 몸으로 기억하는 자리를 찾았다. 평평한 돌이 있고, 그 뒤에 흙벽이 있다. 돌에 엉덩이를 대고 앉고 등을 기댄다. 축축한 굴 속에서 뭐가 기어 다닐 지 몰랐지만, 적어도 그를 추적해오는 점퍼만큼은 아니었다.

그는 이곳에서 잠깐 상처를 치료하기로 했다. 지나치게 밝은 불빛은 틈새를 통해 바깥으로 새어 나갈지도 모른다. 그는 재킷의 안주머니에서 작은 볼펜처럼 생긴 것을 꺼냈다. 은은하게 시야를 밝혀 주는 수준의 라이트였다. 달칵, 하자 푸른 빛이 나왔다. 윤곽을 확인하고 또 자신의 근처를 보기에는 충분하다.

볼펜대의 거는 부분을 재킷의 목 부분에 걸었다. 그는 다양한 장비나 도구들을 챙기고 다니는 편이었다. 가죽 재킷은 그가 특수하게 제작한 종류로, 겉으로는 별 주머니가 없지만 품이 크고 안쪽으로 다양한 물건들이 수납 가능하게 만들어져 있다.

그는 더듬거리면서 지혈제와 소독약, 붕대를 꺼냈다.

각기 그리 크지 않은 크기였다. 지혈제는 고형의 젤이 튜브에 담겨 있는 물건이었고, 소독약은 작은 병에 담겨 있었다. 손가락 두 마디를 넘지 않는 정도의 크기의 병이었고, 그냥 뚜껑을 까고 내부에 담긴 것을 전부 부어서 사용하는 식이다. 그는 이런 류를 여러 개씩 챙겨서 다니는 편이다. 언제 어떤 일이 일어날 지 모르니.

그러고 보면 상대가 상체를 쏘지 않고 다리를 노린 것도 기가 막힌 변수였다. 재킷은 겉으로는 별 것 없지만 안쪽으로 질긴 안감을 덧대었다. 나름대로 방탄의 효과가 있는 재질이었고, 덕분에 더럽게 무거웠다. 근접 박투에서는 그런 무게감이 힘을 실어주기도 하지만 조금 속도가 필요한 싸움에서는 여지없이 단점으로 작용한다.

그런 물건을 늘상 입고 다니니만큼, 그는 상당히 조심성이 큰 부류였다. 언제나 추적자가 쫓아올 지 모른다, 라는 생각을 하고 있기도 했다. 실제로 마주치리라는 예상을 하지는 않았지만. 그것도 오늘 말이다.

송일우가 최근에 연락이 잘 되지 않았던 것도 의심을 했어야 하는 부분이었다. 언제나 망아지처럼, 여기 저기를 돌아 다니면서 제대로 통제 속에 있지 않던 녀석이긴 하지만. 근래에는 그 비율이 조금 더 심했다. 아마 그 녀석이 잡힌 다음에 이렇게까지 타고 들어온 일일 테였다.

그들 내부의 정보가 밖으로 새어 나갈 곳이 별달리 없었으니 말이다. 그들은 그들 소수로 언제나 모든 일들을 준비하고 실행했고, 대부분의 경우 그것으로 충분했다. 이제 마지막으로, 동남아 쪽의 공권력이나 행정시설의 빈틈이 많은 곳으로 가서 금품을 대량으로 탈취하고 잠적을 하려고 했는데… 이런 꼴이다.

주기적으로 접선 장소도 바꾸어야 했을까. 그래, 그랬을지 모른다. 완벽하게 내부 인원만으로 일을 도모했다고 방심하고 있었다. 그리고 가장 콧대가 높이 행동하던 송일우가 어떤 연락을 취하지 못하고 잡힐 것도 예상하지 못했다.

아마 반항을 할 수 없는 수준은 아니었을 텐데…. 조직의 추적자를 깔보고 호기를 부리다가 멍청하게 당했을 확률이 높았다. 조금 더 용의주도하고, 면밀했다면 예상 외의 변수를 맞닥뜨린 순간 바로 팀에게 연락을 했을 터였다. 팀의 다른 인원들에게 조직에 대한 상세한 정보를 알려주지 않은 탓도 있었다.

그런 조직이 있다는 걸 너무 잘 알게 되면, 결국 팀이 와해 되고 만다. 조직이 강대한 능력자들을 보유하고 또 막강한 연합 단체를 여러 곳 가지고 있다는 걸 알지만, 결코 전능하지 않다는 것 또한 그는 알고 있었다.

그들이 눈치를 채고 간섭하기 전에 빠르게 일을 치고 아예 손을 떼버리면 별 수 없을 줄 알았다. 아슬아슬한 순간까지 시간을 재는 싸움이었는데, 결국 그 시간 싸움에서 지고 말았다. 현장 전투원으로 가장 신뢰하던 놈이 변변찮은 꼴로 잡혀 버린 것이 큰 변수였다.

리더는 급박한 상황 속에서 마저 하지 못했던 분석을 하며, 고통을 의도적으로 멀게 생각했다. 상처가 쓰라리다. 그는 곧바로 엉거주춤 일어난 자세로 바지춤을 풀렀다. 벨트는 없었다. 그냥 딱 맞게 사이즈를 입고 있었고, 버클이 튼튼해서 흘러내리진 않는다. 간단한 동작만으로 버클이 풀린다. 그는 허벅지까지 바지를 내리고 상처 부위를 살폈다.

천이 상처 부위에 쓸리자 고통이 밀려왔다. 말했듯, 쇼크를 받을 정도는 아니었다.

군복 바지의 왼쪽 허벅다리 부분은 구멍이 뚫려 있었다. 바지를 벗고 안감을 확인하자 거기까지 구멍이 당연히 뚫려 있었고, 그 사이로 총알의 머리 부분이 튀어나와 있는 것이 보였다. "큭." 작게 튀어나온 총알이 살을 뚫은 것이다. 그리 깊지 않은 상처였다. 고작해야 손가락 반 마디?

그 주위로 상처가 조금 퍼져 있었다. 전체적인 위력은 낮아도, 관통력이나 회전력이 강한 총알인 모양이다. 얕은 상처가 주변으로 퍼져 있었다. 거기에서도 피가 배어 나온다.

그는 그대로 바지를 조금 더 편하게 내리고 소독약의 뚜껑을 깠다. 그대로 살에 들이 부었다. '크으….' 견디기 싫은 쓰라림이었다. 견디지 못할 정도는 아니었다. 적당히 붕대를 조금 찢어서 부위의 피나 흘러내린 소독약을 닦았다.

조금 더 붕대를 수건처럼 써서 주변을 닦아낸다. 상처 부위가 조금 더 선명하게 보인다. 그는 붕대를 버리고 튜브 형의 지혈제 역시 따서 상처에 발랐다. 하얀 응고제가 나와 상처 부위 전반에 고루 편다. 둥글게 말려 있던 붕대 역시 마저 풀어서 허벅지 부위에 빙글빙글 감는다.

꽤나 힘을 주어서 강하게 압박을 해준 뒤에 지혈대 하나를 더 꺼내 들었다. 검은 천으로 된 물건이고, 세게 힘주어 두른 뒤에 흔히 찍찍이라 불리는 접착부로 고정을 해주는 것이었다. 손가락 세 마디쯤 되는 폭의 거칠거칠한 천 재질이다. 그는 능숙하게 붕대 위로 한 바퀴를 감아 고정했다. 한 바퀴를 돌리고 남는 마디가 다시 한 바퀴를 두를 만하다. 남는 부위가 전부 고정부라서 다소 격하게 움직여도 떨어지지 않았다.

그는 재빠른 처치를 마치고 자리에서 일어섰다. 희미한 불빛만이 비치는 동굴 안이다. 점프를 써서는 안 된다. JE의 잔향은 시야에 들어오는 거리, 사람에 따라 다르지만 수십 걸음까지도 그 기척을 느낄 수 있다. 일반인이라면 JE의 존재 자체를 모르기에 대다수가 넘어가지만, 점퍼처럼 그것에 익숙하고 발달된 감각을 가진 이들이라면 주변에서 누군가 도약을 할 때 알아채게 마련이었다.

추적자가 자신이 떠났는가, 아니면 그러지 못했는가를 고민하며 자리에 머물러 있다면 그 역시 선택지가 제한되었다. 이대로 긴 시간을 버티던가, 혹은 두 다리로 걸어서 은밀하게 빠져나가던가. 까마득한 거리로 위치를 옮긴 다음에 점프를 사용한다면 완벽하게 추적망에서 탈출하는 것이었다.

리더는 잠시 고민했다. 상대의 행동을 예측한다. 그리고, 상대가 아주 노련하고 적극적인 추적자이리라는 짐작을 했다. 그는 동굴 속에서, 하룻밤을 보내기로 했다.

JE의 잔향을 따라 상대는 이곳까지는 늦든 빠르든, 도착을 했을 테였다. 그리고 집요하고 적극적인 추적자이기에, 일시적으로 도주자를 놓쳤다고 포기할 리는 없었다. JE의 흔적이 발견되지 않는 이상 그 자리에 머물며 두 발로 도망갈 수 있는 인근을 수색할 테다.

열대의 자연림이 펼쳐져 있는 이곳에서 그런 추적이 용이하지는 않겠지만, 선불리 상대의 능력을 속단하지도 않았다. '조직'의 점퍼라면 이런 숲속에서의 추적술 따위를 익혔을 가능성도 배제할 수 없다.

가장 좋은 건 그가 미리 만들어둔 루트의 은신처에 숨어서 쥐죽은 듯 조용히 시간을 기다리는 것이다. 상대의 짐작을 벗어날 정도의 시간. 도저히, 이 근처에서 있으리라고 생각하기 어려운 상식 밖의 행동 경로로 움직인다면 간신히 추적을 따돌릴 수 있을지도 몰랐다. 고작 몇 미터 옆, 몇 미터 아래의 굴이 있어서 움직이지도 않고 일日단위의 시간을 보낸다면 상대의 추적에 혼선이 올지도 모른다.

리더는 그런 생각으로 가만히 있기로 했다. 다행히 이곳은 그가 이런 유사시에 사용하기 위해서 은신처로서 준비해둔 장소로, 다양한 비상 물자들을 숨겨두었다. 예컨대, 그가 있는 곳은 서면 허리를 구부정하게 숙이고 걸어야 하는 정도의 높이였다. 넓이는 작은 방보다 더 작았다. 몸을 누이면 간신히 눕고, 한두 바퀴를 구르면 끝에 닿는 공간. 그가 앉아 있는 바위 외에는 대개 흙바닥이었다.

그가 앉은 바위의 근처에는 그가 둔 비상품이 있다. 손을 더듬어서 바위의 윤곽을 따라간다. 앉아 있는 자리에서 왼쪽으로 더듬어 내려가자 바위와 흙벽의 사이에 인위적으로 튀어나온 굴곡이 느껴졌다. 인위적이라 함은, 다른 흙벽과는 질감이 다르고 조금 만지면 바로 알 수 있는 매끈한 면이 있었기 때문이다.

천천히 다친 다리를 신경쓰며 자세를 바꾸고, 몸을 낮춘다. 옷깃에 달아둔 펜 라이트가 희미하게 동굴 내부를 비춘다. 흙으로 덮혀 있는 벽을 손가락으로 슬쩍 쓸자 부스러기가 쉽게 떨어져 나갔다.

마찬가지로, 조심스레 손가락으로 그 흙벽을 매만지며 파고 들어갔다. 무른 흙으로 주변에 쌓여 있어서 손으로 파도 충분히 발굴해낼 수 있는 물건이었다. 그는 잠시간 그렇게 흙벽을 파헤쳤다. 어느 정도 시간이 지나자 거기에 끼워져 있던 인공적인 물건이 모습을 드러냈다.

작은, 품 안에 들어갈 만한 사이즈의 철제 상자였다. 튼튼하고, 외부 환경으로부터 내부가 잘 보호되는 고급품이었다. 그는 이런 용품들을 종종 찾고 구매하고, 사용하는 취미를 가진다. 양손으로 상자의 튀어나온 부분을 잡고 작물이라도 뽑듯이, 힘을 주어 흔들었다.

몇 번인가 덜컹거리며 흙먼지를 털어내던 상자가 뽑힌다. 그는 간신히 자세를 바로하며 상자를 무릎 위에 두었다. 소매로 몇 번인가 털어내자 상처 하나 없이 멀쩡한 외부가 드러났다.

철제 상자 안에 밀봉되어 들어간 물건들은 대개 식량이었다. 내부에 진공 차폐 기능이 있어서 몇 번의 손잡이를 돌리고 조작하면 외부와는 접촉이 없게 되는 특수한 상자였다.

네모난, 약 15cm정도의 변을 가진 상자로 높이도 얼추 그 정도 된다. 달칵, 드르륵 하고 오랜만에 만지는 상자를 조작하자 버클 형식의 잠금장치가 열리고, 그 근처에 튀어 나와있는 버튼들이 돌아간다. 순서에 따라 버튼을 조작하니 금세 내부 장치가 열렸다. 그 다음에 뚜껑을 연다.

오래도록 만지지 않은 물건이었지만 그렇게 손상되진 않은 모양이었다. 생각보다 부드럽게 열린다. 그가 마지막에 이곳에 와서 점검을 하고 물자를 놓아둔 게 1년 전의 일이었다. 그동안 어느 열대림의 동굴 한가운데 이것이 멀쩡하게 있던 것도 다행이다.

그가 들어온 루트 외에 걸어서 나갈 수 있는 출구 쪽에는 침입자를 반기는 간단한 트랩들도 설치되어 있었다. 바깥에서 안으로 들어오는 이들에게 작동되는 물건이었고, 나가는 쪽에서는 안전하다.

그렇다 해도 갖은 생명들이 넘치는 숲속에서 어떤 종류의 동식물이 움직이거나, 혹은 기후 상의 변화로 무슨 일이 있었을지 모르는데 다행히도 상자가 멀쩡하다. 바위와 동굴의 흙벽 사이의 틈바구니에 고정하듯 파묻어두었고, 무게가 제법 나갔기에 위치의 변함도 없이 버텼던 모양이다.

리더는 상자의 뚜껑을 열었다.

*

보존용 상자에는 당연히도, 보존용 식품들이 들어가 있었다. 오랜 기간이 지나도 먹을 수 있는 종류로 넣어두었다. 구하기 쉬운 전투 식량의 종류들이었다. 생수도 따지 않은 것으로 작은 병이 몇 개인가 들어 있다. 200ml짜리 소형 플라스틱 병으로, 충분하지는 않았지만 위기 상황에서 갈증을 해결할 정도는 된다.

지나치게 포만감을 느끼는 식사를 하는 것도 도주 중에 못할 짓이었다. 최대한 기척을 감추고 장시간 은신을 하려면 움직임을 최소화 해야 한다. 적당히 먹고, 적당히 마신다. 죽은 것은 아니지만 마치 그런 것처럼 가만히 있어야 했다. 지나친 소화 작용도 방해다. 죽지 않을 정도로만 적은 양을 천천히, 섭취하면서 열량을 보존하고 침묵한다.

상처 난 부위나 피로한 근육은 어느 정도 먹고 쉬는 것으로 달래야 했다. 리더는 상처 입은 짐승처럼 굴 안에서 잠시 눈을 감는다.

완벽하게 깊이 잠들 수도 없었다. 은신처로 삼은 곳이었지만 외부와 통로가 뚫려 있다. 수풀을 헤치고 이곳까지 다다른다면 곧장 도약을 시도해야 했다.

그의 손목에는 미세한 불빛을 낼 수 있는 전술용 전자시계가 있었다. 한쪽 눈을 떠 시간을 슬쩍 확인한다. 그리 오래되지도 않았다. 몇 번의 도약과 접전. 9시를 얼마 넘지 않아 시작된 도주는 이제 9시 14분째에 이른다. 고작 그 시간 안에 무수한 일이 있었다. 지구상의 다양한 지역들을 넘나들고 대치를 하고, 몸싸움을 했다가 총에 맞았다.

모두 순식간에 일어난 일이었다. 그만큼 도망을 치고 있는 리더, '윤민혁'이 뛰어난 역량을 가진 도주자라는 반증이기도 했다. 재빠른 상황 판단 능력은 그의 목숨을 이제까지 연명케 만들었다. 오합지졸이었을 애송이 점퍼들을 데리고 팀을 꾸리고, 여기까지 사건을 헤쳐 온 것도 그런 판단력의 힘이었다.

그는 작은 선택지에서 그리 잘못된 쪽을 고른 경우는 별로 없었다. 인생의 기로에서 큰 선택들을 잘못했을 뿐이었지. 말하자면, 애초에 점프 능력을 사용해 범죄를 저지르려고 했던 일 자체였다. 점퍼로 이루어진 범죄 팀을 꾸려서 금품을 갈취하고 사적인 유익을 누리려고 했던 결심이었다.

그 외에, 즉각적인 상황 판단들은 보통 알맞게 해나갔다. 당장 꼬리가 잡히지 않도록 잘 벗어나고 있었다. 그마저도 지금은 숨죽인 채 결말을 기다리고 있는 꼴이었지만.

그는 동굴 속에 앉아서 상대방의 움직임을 상상했다. 용의주도하고, 점퍼로서의 능력도 전투원으로서의 능력도 상당히 높은 베테랑이었다. 얼핏 젊은 나이로 보였는데, 상당히 호된 훈련의 시간과 격전지나 같은 실전 임무들로 다져진 모양이었다. 그가 저 나이 때에 저 정도의 행동력을 가지진 못했다.

조직에서도 아마 특수한 인물일 확률이 높았다. 사람이 그냥 키워지지는 않는다. 점퍼로서의 능력과 재능은 훈련으로 한계가 있는 것이었지만, 그 외의 자질들과 움직임은 철저하게 시간으로 만들어지는 것들이다. 한 사람이 타고나면서 여러 종류의 경험과 감각들을 동시에 익힐 수는 없었다. 배움에는 시간이 필요하다.

저 정도로 배짱도 좋고, 자신같은 산전수전을 겪은 전투원을 농락할 정도의 능력이라면 조직으로서도 귀중한 인적 자원일 확률이 높았다. 만일 저런 이들이 전부라면, '점퍼 조직'은 점퍼들 사이에서 전설처럼 말로 전해지는 게 아니라, 실제로 존재하는 전설로서 점퍼들을 완벽히 제압 했어야 했다.

그가 알기로 한 시대에 '점퍼'라는 특수한 존재가, 고작해야 백 명을 크게 넘지 않는 정도이다. 개중에 상당수를 차지하는 저 '조직'의 구성원들이 지금처럼 특수한 베테랑들이라면 다른 점퍼들을 농락하는 건 식은 죽 먹기에 가까웠다.

아마 저 정도로 움직이는 현장 인원들이 소수에, 나머지는 백업이거나 팀을 이루어야 하는 이들일 테였다. 어쩌면 그가 만들어낸 범죄 팀과도 정면 대결을 해볼만 할 지 몰랐다.

물론, 어디까지나 점퍼들의 인력에 국한될 경우였다. 저쪽은 유일하게 세계의 정상급 단체들과 연이 닿아 있는 조직으로, 굳이 따지자면 '공식' 점퍼 단체에 가까웠다. 그런 다양한 단체들로부터 받는 지지와 지원들이 합쳐진다면 자신들같은 민간의 모임은 변변찮은 반항을 하기도 힘들게 분명했다.

총에 맞으면 죽는 건, 점퍼라고 다를 게 없었다.

상대가 비 점퍼로 이루어진 군대라면야, 점퍼로서의 능력을 십분 발휘해 도망칠 수 있겠지만 상대편에 어느 정도 전투가 가능한 점퍼가 어설프게라도 섞여 있다면, 일반적인 전술도 충분히 점퍼에게 유효했다.

점퍼 한 명이 붙잡기라도 하고, 제압한 다음에 수면 가스라도 살포해서든 뭐든, 어떤 방식으로든 의식만 잃게 만들면 일단 점프 능력은 봉인되는 셈이었다. 그러고 나면 끝이다. 점퍼로서의 세세한 능력과 상관없이, 어쨌든 다른 점퍼가 몸에 손을 대고 재밍만 걸고 있으면 밀실에도 일반인처럼 갇혀서 갖은 꼴을 다 당해야 하는 처지로 전락하고 만다.

그는 왕년에 점퍼로서 활약했다. 지금처럼 한국 태생의, 군인 출신으로 다양한 특전사 부대를 돌고 이후에는 다양한 세계의 전장들을 용병으로 전전했다. 돈을 좇았고, 그 과정에서 점프 능력을 마음껏 사용하며 적진을 농락했다.

다양한 전투 기술과 실전 경험을 쌓았고, 제 3세계 같은 곳에서는 나름의 명성도 얻었다. 그저 그 정도로는 조직이 개입하지는 않았다. 어차피 증언도 목격자도 제대로 남지 않는, 낙후된 지역의 전장터에서 벌어진 일들이기에. 점프 능력으로 어떤 사회적인 영향을 크게 미치지 않는다는 판단에서였을 지도 모른다.

그리고 그런 그의 영향력이 점차 커져, 용병으로서 개입한 국가에서 그를 주시하며 특별한 전력으로 취급하고 전황의 역전을 위해 사용하려 했을 때 조직의 구성원이 찾아 왔다.

낙후된 지역이라고 하더라도, 나라의 수뇌부와 연결될 즈음이 되면 조직과 연이 닿은 어떤 단체의 정보 기관에는 걸리게 된다.

당시의 그는 20대의 혈기로 움직이는 사내였고, 무엇도 거칠 것이 없었다. 전장에서는 언제나 승리만을 거두어 왔었고, 누구도 그를 죽일 수 없었다. 다치게 할 수도 없었고.

전사, 용병으로서도 상당한 수준의 엘리트였고 비교적 뛰어난 편의 군인이었다. 체력적으로도 체격적으로도 밀릴만한 구석이 많지 않았고. 그가 점퍼로서의 능력이 개발된 건 10대 후반, 17세의 일이었다. 본격적으로 전투에 능력을 사용한 건 당연히 20대에 군인으로서 실전에 투입되면서 부터였고.

점퍼로서의 능력도 그다지 떨어지는 편이 아니었던 그는 그야말로 초인처럼 굴었었다. 제 3세계, 아프리카 중부 전선의 악몽으로

까지 불리웠다. 2000년대 초반 무렵의 일이다. 그리고 그때, 그 장소에서 점퍼 조직의 추적자를 만나서 몽둥이 앞의 개처럼 바닥을 기게 되었었고.

*

아프리카 중부. 미켕 공화국(가상).

뜨거운 열사의 대지였다. 타는 듯한 더위 속에서 흙먼지를 마시면서, 서로에게 총질을 해대는 것이 일상인 땅.

서방 세력으로부터의 독립을 원하는 국가의 민족주의자들은 괴상한 사상과 종교를 앞세우며 과격파로 일어섰다. 나라의 군부 일부와도 결탁을 해서 땅을 절반으로 갈라 먹으면서 내전이 시작되었다. 해외 선진국으로부터 받아 왔던 원조와 물자들이 하나도 빠짐없이 전쟁의 물자로 사용되었다.

비옥하지 않은 땅에서, 지나치게 많은 사람들이 죽어간다. 국제연합 기구와 선진국들은 내전의 초반부터 개입하지는 않았다. 순식간에 일어난 일이었고, 국가의 수뇌부가 자신들의 힘으로 통제 가능하다는 의견을 강력하게 피력했었다.

전쟁의 흐름은 그들의 판단이 오만했음을 드러냈다. 내전이 장기화 되어갔다. 한반도의 3배 정도 되는 땅에서 전선이 길게 확장된다. 힘없는 민간인들, 부족원들로 나누어져 평야에서 따로 살아가던 부락들이 불에 타거나, 전쟁의 폭력에 휩싸여 사라졌다.

고작 수 개월에서 일년 여 만에 수십 개의 부락이 초토화 되었고, 몇 개의 도시가 전쟁으로 폐허가 되었다. 수천 여 명의 사상자가 생겼고 수십만 명의 피난민, 피해자들이 생겼다. 군인들을 제외한 민간인들만의 피해였다.

전쟁이 장기적으로 흐를 조짐이 보이자 선진국 세력에서 부랴부랴 외력으로 들어왔고, 그 사이에 당시에도 존재했던 '점퍼' 조직이 있었다.

기이한 소문 탓이었다. 내전의 양측 진영에서 계속해서 반복되는 괴현상이 있다는. 순간이동에 대한 소문이었다. 전장에 참여한 군인들 사이의 입소문으로 퍼지는 사실이었고, 대부분 전쟁 중의 충격으로 만들어진 환각, 헛소문으로 치부했다.

단도직입적으로 그건 헛소문이 아니었다. 실제로 누군가가 상식적으로 설명할 수 없는 능력을 선보이며 전장에서 활약을 했으니. 전과로 보자면 '활약'이었지만 인도적이나, 정상적인 시선에서 바라보았을 때는 범죄에 가까운 행위였다.

한 명의 용병이 신출귀몰하게 내전의 전장 이곳 저곳을 옮겨 다니며 상대 진영을 학살하고 있었다. 심지어 그 존재는 한 명인지, 팀인지, 여럿인지도 알 수 없었지만 쿠데타군 측과 정부군 측을 가리지 않고 나타나 수많은 이들을 죽음으로 몰아갔다.

눈에 띄는 전과와 생존자들의 헛소리에 가까운 증언이 반복되자 각 진영의 수뇌부에서도 이상한 낌새를 눈치챘다. 그리고 그들의 정보가 타국의 첩보 요원을 통해 각국으로 흘러 들어갔고, 단체에 연계된 점퍼 조직에게까지 들어가게 되었다.

*

미켕 공화국, 정부측 중앙 사령부 관사.

미켕의 수도 바야니에 위치한 사령부 관사는 나름대로 멀끔한 편의 인테리어를 자랑했다. 해외 자본의 투자를 통해 만들어진 건물은 나름대로 좋은 자재로 지어졌고, 신식의 내장재들로 채워졌다.

가만히만 있어도 익숙치 않은 이라면 줄줄 땀이 흐르는 지역이라, 전체적으로 창문이 크고 환기가 잘 되는 구조였다. 복도 전체가 개방적인 테라스의 연속으로 이루어져 있었고, 정사각형 건물의 내부에 정원이 있고 외부로도 잘 조경된 마당이 보인다.

마당의 중앙에는 물이 흐르는 분수가 있다. 외국의 장인들이 비행기를 타고 먼 땅까지 와서 지은 물건이었다. 정교하게 솟아오르는 형태의 석재 조각상의 끄트머리에서 물이 뿜어져 나왔고, 분수를 채우며 주변의 바람을 만든다.

건물 내부, 사령관실.

통창이 바깥으로 열려 있었고, 대리석 같은 톤의 인테리어인 방이었다. 사령관실이라지만 가구들은 단출한 편이다. 검소하다 싶은 작고 깔끔한 집무용 테이블에 서재와 자료들을 넣어두는 다양한 수납 가구들. 소파 두 개와 그 사이에 놓여진 길다란 회의용 탁자.

작은 냉장고와 벽걸이 에어컨 두 개. 넉넉히 일개 소대가 들어와서 보고를 해도 괜찮을 만한 공간이었지만, 별로 채워지진 않았고 빈 공간이 많았다. 관실을 쓰는 지휘관의 성격이 반영이라도 된 듯한 모습이다.

후덥지근한 날씨와 공기 속에서, 한 사내가 불려와서 서 있었다. 그는 미켕인이 아니었다. 약간 까무잡잡하게 피부가 타 있었지만, 아프리카 계의 인종들과는 확연하게 구분이 되는 동양인이었다. 황인종. 개중에서도, 한국인.

대머리에 체격이 다부진 사내였다. 선글라스를 끼고, 국적도 불분명한 군복을 입은 사내다. 별 든 것이 없는 전투 조끼를 대충 걸치고 있다. 오른팔의 팔뚝에는 정부군 소속의 용병임을 뜻하는 공화국기 마크가 붙어 있었다.

그, 윤민혁은 20대 중반의 청년이라기엔 노안이었다. 아프리카의 전장에 어울리는 밝은 톤의 황토색 군복. 그는 정부군의 사령관, 코이맛 따센 대장을 앞에 두고도 그다지 조심하는 기색이 없었다. 외부인이라고 하지만 군례나 상식을 비추어 봤을 때 무례해 보일 수도 있는 행동거지였다.

사령관, 코이맛 대장은 그런 점에 대해서 크게 언질을 주지는 않았다. 이 콧대 높고 실적도 좋은 용병은 시건방지고 교만했다. 물론 그만한 전장에서의 실력을 보여주고는 있었지만, 다루기에 여간 까다로운 존재가 아니었다.

용병군 부대에서 활동을 하다가, 정규 부대에 끼어서 활동을 하다가, 종래에는 자신 혼자 특별 소대처럼 움직이며 갖은 전장을 종횡무진하는 존재였다. 그가 보여주는 전장에서의 실적들은 믿기 힘든 정도의 수치였다. 어떤 극악한 전장에서도 그 혼자 생환해왔고, 적군에는 늘 중대 규모 이상이 투입되어야 기대할만한 유의미한 피해를 주었다.

여러 개의 전장을 오가면서 지치지도 않았고 더군다나 빨랐다. 그에게 있어서 이 용병은 기이한 존재였다. 정체가 무언지 알 수 없는 외국인. 심지어 그로서는 자세히 알지도 못하는 극동 아시아의 나라 출신. 일본 옆의 반도로 기술 수준이 좋은 나라이고, 휴전 중이라는 사실 정도는 알았다. 국제 정세상. 그러나 그 이상의 일들은 아는 바가 없다. 그는, 대장이 처음으로 만난 한국인이었다.

그리고 오늘은 그가 두 번째로 만난 한국인과 그를 소개시켜 주기 위한 자리였다.

후웅.

하고, 바람이 일거나 미약하게 공간이 진동하는 듯한 소리가 들렸다. 기이한 느낌이었다. 어딘지 모르게 소름이 돋기도 한다. 이상한 느낌에 그 자리를 처다보면, 아무것도 없던 자리에서 사람이 나타나는 현상을 바라보게 된다.

"뭐."

라고 그가 외쳤다. 그는 평정을 잃을 생각은 없었다. 그럴 자신도 없었다. 이 땅에서 많은 일들이 있었지만 대부분 그의 능력으로 헤쳐나갈 수 있는 종류의 시련들이었다. 자신이 가지고 있는 특이한 능력은 이 땅의 주민들이 짐작할 수도 없는 것이었고, 그가 생각하기에 아마 이 아프리카 중부의 국가에는 '점퍼'라는 인종들이 없는 곳이었다.

그렇기에 그는 마음을 놓았었다. 이런 오지에 틀어박혀서 자신이 전장에서만 능력을 사용한다면 진실을 알 수 있는 이가 얼마나 될 것인가. 거기다가 적극적으로 그 목격자들을 줄여나간다면 말이다. 그는 피비린내가 나는 전쟁터에서, 자신의 욕망을 실현하며 거침없이 굴었다. 총을 들고 있는 모두가 그것을 타인을 해하기 위해 사용하고 싶어 하거나, 하는 건 아니다. 그러나 무기를 들었을 때 어떤 비틀린 인간들은 꼭 그것을 생명, 개중에서도 사람에게 겨누곤 한다. 그래야 할 필요가 없는 상황에서도.

정신적으로 싸이코패스라 불리는 부류였다. 그럴지도 모른다. 윤민혁은 자신에게 많은 것들이 결여 되어 있다고 느꼈다. 일단 공포감은 남들보다 둔한 편일지 모른다. 점퍼로서의 능력을 가지고 있다고 일부러 전장에 자신의 몸을 던져 넣는 것은 바보 같은 일이었으니.

또한, 자신과 같은 능력을 가진 다른 점퍼를 마주친 것도 이번이 처음이었다. 공포감은 적었지만 놀라움은 있었다. 또한 적었지만 없는 것도 아니기에, 소름이 돋는 일도 있다. 그는 뜬금없이 자신의 눈앞에 나타난 동류의 인종에게 극도의 경계심을 나타냈다.

이런 자리를 마련한 사령관을 처다본다. 당연하게도 검은 피부를 가진 흑인. 사람 좋은 미소를 때때로 지어 보이는 코이맛 대장은 그에게 있어서도 다루기 쉬운 상대였다. 언제나 실적만을 보여주면 별다른 제지를 가하지 않고 그가 원하는 조건들을 맞춰 주었으니까. 정부군 측이 가진 재원이 풍족한 편은 아니었지만 실적에 따라

두둑한 보너스도 챙겨주는 편이었고.

신뢰한 적은 없었지만 배신감과 비슷한 종류를 느끼는 것도 같았다. 자신이 판단했던 스스로의 판단력에 대한 배신감일지도 몰랐다. 자신에게 이런 상황을 선사하다니.

지금 이런 상황에서, 이렇게 밝혀져도 되는 것일까. 그동안 자신의 삶에서 가장 큰 비밀이었고 다른 이들과 공유하지 못할 사실이었던 순간이동의 능력이 백주 대낮의 눈앞에서 이용되었다. 코이맛 대장은 언제나와 같은 표정을 짓고 있다. 사람 좋은 웃음. 정이 많은 흑인이었다.

코이맛 대장이 능숙한 영어로 말을 걸었다.

"자네를 찾는 이가 있어서 불렀네. 혹시 이 사람과 관련이 있다면, 자네도 뭐 솔직하게 이야기를 하길 바라네. 먼저 만나봤지만 나쁜 조직의, 나쁜 사람은 아니라네."

그 뒷말, 혹은 말에 숨겨진 함의에는 이런 문장이 숨겨져 있었다. '자네가 나쁜 사람일 수는 있겠지만.'

그의 앞에 나타난 점퍼는 날카로운 인상을 지닌 사내였다. 그보다는 조금 더 나이가 있었을까. 20대 후반, 혹은 30세 근처의 나이일지 몰랐다. 동양인이었고, 각진 챙 모자를 쓰고 그 아래로 눈빛을 빛낸다. 자신처럼 군복을 입고 다니는 사내였다. 다부진 체격에 두꺼운 몸통. 격투로 눈앞에서 붙는다고 해도 그다지 자신은 없는 체격이었다. 기술적인 부분이야 어느 쪽이 뛰어날지는 미지수였고.

흔들림 없는 자세나 동작의 기세로 보면 상당한 수준의 운동을 익힌 사람처럼 보인다. 전투가 가능한 점퍼라면 자신과 같은 조건이었다. 점퍼로서의 특수 능력은 어느 쪽이 더 뛰어날지 모르겠지만… 일단 자신은 자신의 실력을 가늠할만한 비교 대상이 마땅치 않았다. 상대가 자신과 같은 점퍼들과 많이 마주해 본 종류의 인간이라면 자신이 밀릴 확률이 높았다. 전투나 기술이란 단련과 또 비슷한 이들끼리의 실전에서 갈고 닦아지는 것이었으니.

"당신은… 순간이동 능력자인가…."

첫 마디로 어떨지 모르는 물음이었다. 점퍼가 내뱉기에도 어눌한 말이었다. 윤민혁 역시 점퍼였지만 그가 다른 존재를 처음 맞닥뜨리기에 나오는 바보 같은 투의 질문이었다. 상대방, 기세가 날카로운 청년이 씩 웃더니 익숙한 모국어로 대답했다.

"너와 같지. 윤민혁. 그동안 미켕 국내에서 개같이 구르면서 참 많이도 일을 벌였더군. 전쟁터에서 헌신하는 점퍼가 용인될 수 없는 건 아니지만, 넌 그 이전에 범죄를 너무 많이 저질렀어."

모국어라 함은, 그와 같은 한국인이 내뱉는 한국말이었다. 익숙한 외형의 동양인은 동향 사람이었다. 한국에서 '점퍼'에 대한 소문은 들은 적이 있었다. 정확히 말하면, 뉴스 따위의 것이었다. 그가 점프 능력을 가지고 있기에 이해가 되는 미해결 사건들. 그리고 그런 사건들에 뒤이어 이어지는 해결 소식들. 그 과정이 뚜렷하지 않고 상식선에서 설명할 수 없는 과정들이 도리어 그에게는 무엇보다 확실한 정황이었다.

그가 살아가는 한국에 비슷한 능력을 가진 '점퍼'들이 있음에 대한. 그리고 그런 사건들을 바라보며 반면교사 삼아 자신의 정체를 드러내지 않는 삶을 살아왔다. 군인으로서 충분한 훈련을 받고, 커리어를 쌓고 해외에서의 실전 작전에 투입되기 전까지는 말이다.

인터넷 따위를 하릴없이 떠돌다 보면 그런 소문 같은 정보글들이 올라오곤 했다. 대부분은 어느 미치광이가 할 짓이 없어서 정보의 바다에 싸지른 쓰레기 글들로 보지만, 실제적으로 능력을 보유한 그가 보기에는 어느 정도 신빙성이 있는 도시 전설이었다.

순간이동자와, 그런 이들을 잡아내는 비밀 조직에 대한 이야기.

그는 아마 높은 확률로 그것이 사실이리라고 생각을 했었다. 그랬기에 이렇게 먼 곳으로 와서 누구에게도 소식을 알리지 않고 일을 저질렀던 것이고.

그는 자신의 칼을 휘두르기를 즐겨 하는 쾌락주의자였다. 말했듯, 정신적으로 물리적으로 뇌의 어느 부분이 망가졌는지도 모른다. 그는 단순히 전쟁을 즐기기 위해 전쟁터를 찾았고 그것에 자신의 능력을 사용하면서 더 큰 불길을 일으키기 위해 움직였다. 전쟁의 양측 진영을 옮겨가면서, 다른 신분으로 말이다.

정부측에는 한국군을 전역한 퇴역 군인으로서, 실제의 신분을 사용했고 반란군 측에는 동남아의 사설 군사 단체에서 경력을 쌓은 한국계 필리핀인으로 활동을 했다. 실제 신분을 사용한 이유는, 어차피 고용 측에는 자신이 벌이는 갖은 범죄 행각들이 들키지 않을 자신이 이었던 탓이었다. 점프 능력과 마찬가지이다. 목격자가 없다면 전할 사람이 없게 된다.

발이 없는 말도 전달자가 있을 때 거리를 넘고 움직이는 것이다.

그러나 그는 끔찍하게도, 온갖 준비나 예상을 뚫고 도시 전설처럼 들리던 무언가를 마주해야 했다. 분명 그를 잡으러 온 추적자이리라. 그는 많은 말을 나누지 않았지만 이미 그렇게 단정지었다. 상대의 행동거지나 기세에서는 이미 그런 낌새가 보이고 있었다. 결코 좋은 일로 찾아온 이는 아니었고, 자신이 그런 일로 누군가를 맞이할 만큼 착한 일을 벌인 적도 없었다. 그는 자신의 삶에 대해서 기억력이 좋은 편이었다.

윤민혁은, 다음 순간에 도망가려 했다.

했다, 라고 말함은 그 시도가 실패에 끝났음을 의미한다. 제대로 상황은 파악할 수 없었지만 편을 옮겨 가며 수개월의 내전 중에 필요 없는 살상을 저지르고 민간 피해를 발생시킨 일이 어떻게든 누군가의 귀에 들어간 모양이었다. 그런 일을 저지르고 괴물 같은 실적을 내는, 어떤 용병이 있고 그가 있는 곳에는 기이한 현상이 늘 벌어진다는 내용도 같이.

도약의 발동은 순식간이다. 다른 제스쳐도 필요 없었다. 전쟁의 극한 상황 속에서 그는 예비 동작 없이 곧바로 이동하는 법을 익혔다.

머릿속으로 당장 떠오르는 먼 곳을 도착지로 삼았다. 뇌파가 무언가를 작동시키며 맞물려 돌아가듯 기능이 발휘된다. 가상의 컴퓨터가 움직이는 것과, 비슷했다. 그가 상상하는 점프의 이미지는. 점프를 할 때마다 느껴지는 미약하고 이질적인 에너지가 그의 신체 주위를 맴돈다. 한 호흡이 끝나기 전에 도약은 성공하게 된다.

그러나 그 때 상대가 먼저 사라졌다. 그는 눈앞에서 상대방을 놓쳤다. 시야에서 벗어 날래야 벗어날 수가 없는 존재감이 크고, 체격 역시 작지 않은 사내였으나 환각처럼 순식간에 모습이 없어진다. 그는 그 현상을 잘 알고 있다.

턱.

그리고 거기까지 생각했을 때, 이미 자신의 뒤에 나타난 상대가 왼쪽 어깨에 두터운 손을 얹었다. 왜인지 모르게 불길한 감촉이었다. 그는 이때 '재밍'에 대해서 알지 못했다. 점퍼가 다른 점퍼에 대해 점프를 무효화 할 수 있다는 사실 말이다.

윤민혁의 머릿속이 오작동을 일으켰다. 뇌파로 움직이는 가상의 컴퓨터는 동작 도중에 다른 신호를 받아들여 혼선을 일으켰다. 도약은 무효로 돌아갔다. 그는 떨림을 느끼며 다시 한번 도약을 발동했지만, 역시 마찬가지였다. 상대의 말소리가 그에게 들렸다.

"우리는 목숨을 빼앗는 조직은 아니라네. 고문에도 취미는 없고. 짧은 정신 교육 후에, 목줄만 걸고 풀어주지. 그다지 괴롭지 않을 거야."

굵은 목소리가 그의 귓가에 울렸다. 그는 아주 오랜만에 무력감을 느꼈다. 소름이 돋는 기분이었다. 다음 상황에 대한 짐작을 전혀 할 수 없었다. 그는 다음 순간에 상황을 타개하기 위해서 몸에 익혀진 본능적인 움직임을 보였다. 점프 능력이 통하지 않는다면,

일단 격투로 끌고 가야 할 일이었다.

그는 점퍼였지만 동시에 노련한 전쟁꾼이기도 했다. 어지간한 이들로는 그의 근접전을 버텨내지 못하리라. 그리고 불행하게도, 상대는 어지간한 편이 아니었다.

어깨에 손이 얹힌 채로 윤민혁이 몸을 돌리려 했다. 그대로 어깨를 빼내며 반 회전 하면서 상대의 팔뚝 위로 자신의 팔을 놓아 붙잡고, 오른손으로 짧게 턱을 노리려 했다. 회전하는 몸의 위력을 그대로 실은 자연스러운 움직임이었다. 격투기 종류를 익히지 않은 일반인이라면 속수무책으로 당할 듯한 기민한 움직임이었다.

챙을 눌러 쓴 동향인은, 그리고 조금 더 나이대가 있는 양반은 격투기를 익힌 모양이었다. 그는 윤민혁이 몸을 돌리려 하자 그대로 무게를 실어 상대의 어깨를 눌러 제압했다. 자세가 무너지자 회전이 온전하지 못했다. 그럼에도 억지로 움직여서 턱을 노리려는 손보다, 상대의 제압기가 더 빨랐다. 선 자리에서 반 회전을 하는 것보다 상대가 한 걸음 스텝을 밟아 뒤를 점하는 긴 움직임이 먼저 끝났다.

윤민혁의 움직임에 맞추어 왈츠를 추듯이 등 뒤로 돌아 같이 돈다. 그대로 윤민혁의 오른쪽 잽은 허공을 노리고 움직이게 되었고, 상대방이 어깨를 눌러 목을 비우고 그 사이로 팔뚝을 넣는다. 이어지듯 팔뚝으로 목을 졸랐다. 윤민혁이 반사적으로 고개를 눌러 목을 보호하려 했지만 상대방의 흐름이 조금 더 빨랐다.

그리고 힘도 강한 편이었다. 기어코 고개 사이에 목을 잡아 경동맥을 압박한다. 다른 팔도 어느새 빼서 초크를 잠그며 힘을 준다. 윤민혁이 기절하기까지, 얼마 걸리지 않았다. 영화에서도 보기 힘든 깔끔하고 빠른 움직임이었다. 이런 류의 속도와 깔끔함을 보이려면, 결국 비슷한 동작이 가능한 레벨의 운동선수를 섭외해야 했기에.

운동에 낯선 문외한이 보기에는 초인적이라 부를만한 움직임들이었다.

"컥."

윤민혁은, 목이 굵고 다부진 체격이다. 그러나 그런 장정이 결국 혈류를 압박당하자 얼마 버티지 못했다. 졸린 목 사이로 숨 하나를 간신히 뱉었고, 그대로 의식을 잃었다.

점퍼가 도약을 할 때도 일시적으로 시야를 잃어버리지만, 당연히 도약의 순간은 아니었고 실신의 순간이었다.

*

리더, 윤민혁은 동굴에서 과거를 회상했다. 시간은 얼마 지나지 않았다. 눈을 감고 있다가 잠시 시계의 불빛을 켜며 시간을 확인했다.

PM10:34.

지독히도 시간이 가지 않는다.

한참이 지난 것 같았는데, 어둠 속에서 극도의 긴장감으로 억지로 눈을 붙이는 건 시간이 가장 가지 않는 종류의 일이었다.

잠에 들지 못하는 불면증의 나날처럼, 아니 그것보다 조금 더 고약했다. 어떤 끔찍한 불면증도 바깥에 실제로 추적자가 쫓아 오지는 않으니까. 스트레스에 따라 자극을 받는 신경이 물리적으로 구현된다면 그 말단을 불로 태우거나 칼날로 긁어내는 것과 같다.

평안을 가장하려 하지만 누군가에게 쫓기는 상황은 그러기가 쉽지 않은 순간이다. 현실에 존재하는 눈앞의 반경에만 의식적으로 감각을 두고 체력을 회복하려고 애썼다. 그럼에도 어느 순간 상대가 자신의 흔적을 찾아 이곳에 들어올지 모른다는 생각에 긴장이 풀리지 않았다.

천천히 숨을 고르며 근육을 이완시키려 했다.

고요한 숲 안의 굴. 벌레가 사각거리며 돌아다니는 소리나, 바깥의 풀이 움직이는 소리. 멀리서 짐승들 따위가 울고, 움직이는 소리도 조금씩 들리는 듯하다.

그 가운데 인위적인 흔적은 들리지 않았다. 추적자는 자신의 추적을 포기한 것일까. 요란스러운 부류라면 근처의 수풀을 다 헤집으면서 다니고, 난리를 피우고 소리를 쳤을지도 모른다. 자연을 생각하지 않는 방식을 쓴다면 그대로 불을 지를 수도 있었다. 어차피 점퍼가 화재를 벗어나지 못해 질식사를 할 가능성은 없을 테니. 굴 안의 너구리를 찾듯이 써볼 수 있는 방법이다.

천천히 시간이 간다. 괴로운 시간이었다. 허벅다리에 얻은 상처가 쑤신다. 열대림이지만 괜한 한기가 드는 것도 같았다. 짧은 시간 동안 밀도 높은 사건의 연속이었다. 고강도의 스트레스는 육신과 정신 모두에 깊은 흔적을 남긴다. 몸의 흉터나 트라우마가 그것이었다.

밖에서 그를 찾고 있을지 모르는 추적자는 그가 살아온 시간 동안 만난 이들 중에서도 손꼽히는 놈이었다. 보통은 윤민혁 정도의 솜씨나 수완이라면 이렇게 고생을 하지는 않는다. 대부분의 경우에 그는 타인을 괴롭게 하고 시련을 주는 역할이었지 인생에 있어서 장애물을 만나는 쪽은 아니었다.

바깥의 추적자는 그에게 분명히 시련이 되었다. 짧은 시간이었지만 예전에 만났던 그 조직의 추적자를 상정하고 움직였고, 분명 그 이상의 수법을 가진 존재였다. 그동안 그 역시 많은 경험을 쌓았지만 몸은 노화를 견디지 못했다. 신체 능력은 기능이 떨어졌다. 심지어 그때, 전성기의 몸으로도 조직의 추적자는 이기지 못했었다.

당시에 그는 점퍼로서 능력을 지닌 채 굴욕적인 패배를 경험했다. 게임의 달성 과제라도 깨듯이 인생의 상황적 난관들을 격파해온 그로서는 처음 느껴보는 지독한 감각이었다. 그렇게 그는 전리품처럼, 상대의 노획물이 되어 점퍼 조직의 내부를 경험했다.

당시의 감각으로 굉장히 최첨단의 건물이었던 것처럼 보이는 비밀 기지는 아직도 정확한 위치 좌표를 알지 못한다. 점퍼가 해당 장소로 이동하기 위해서는 해당 장소에 대한 정보와, 그 주변에 대한 인식 정보가 필요했다. 단순히 타인의 단체 도약에 이끌려서 본 장면만으로는 장소를 특정하기 어려웠다.

어느 정도 자신의 발로 어디에서 시작해서 어디로 이어지는가,

루트를 인식해야 지구상의 장소 중에 특정할 확률이 올라간다. 혹은 수치적인 좌표 데이터를 획득하던가.

윤민혁은 그곳에서 고문을 당하거나, 부당한 억압을 당하지는 않았다. 세밀한 절차에 따른 행사는 아니었으나 타인의 생명을 농락한 범죄자의 입장이라면 오히려 인도적인 대우였다. 점프로 도망가지 못하게 재밍으로 도약을 무력화시키고, 물리적인 구속구로 앉은 자세에 고정되어 몇 시간인가 신문을 당한게 전부였다.

조직의 절차에 굳이 물증은 필요하지 않았다. 심증과 본인의 증언 정도만으로 충분했다. 솜씨 좋은 달변가의 신문으로 몇 가지 범죄 사실들을 시인하게 되고, 그는 장소에 상관없이 효과를 발휘하는 전자 구속구의 신세를 지게 된다. 그로부터 십여 년간, 기계의 노후화를 노려 불법적인 루트로 구속구를 해제하기 전까지 그는 조직에 위치 데이터를 제공하며 살아왔다.

섣불리 점프를 사용하지도 못했고, 범죄를 저지르지도 못한다. 정해진 국가의 정해진 지역 내에서 생활하며 반쯤 자유를 잃어버린 채 살아왔다. 그가 저지른 일이나 그의 능력의 위험성을 생각하면 도리어 관대한 처분이었지만 점퍼 조직은 대개 점퍼들에게 최초의 기회를 한 번 주는 편이었다.

어떤 누구에게도 말할 수 없는 특수한 능력을 가지고 살아오는 점퍼들에게 일상과 비일상이란 그 경계가 애매한 것이었다. 모든 이들에게 완벽히 관대한 건 아니었지만, 그들로서도 인력과 자원의 한계가 있었으므로 굳이 사회에서 살아갈 만하다면 더 이상 억압을 하지는 않았다.

그것만으로도 윤민혁에게는 목숨을 잃은 듯한 구속과 목줄이었지만.

아마 그 구속구가 있는 채로 다시 한번 더 범죄의 낌새를 보였다면 바로 가차 없이 독방에 쳐넣어져 남은 생애를 썩어야 했을 테였다. 그는 비교적, 조직의 억압의 허점을 파고 들어 성공적으로 도망 친 케이스였다. 그렇기에 더욱이 겁이란 걸 잘 알고 또 조직에 대해 어떤 태도를 보여야 하는지 잘 알고 있다.

말했듯 그는 머리가 고장 난 부류일지 몰랐다. 결국 다시 돌고 돌아 점프를 이용해 일탈을 저지르다 조직의 추적자를 맞닥뜨렸다. 아니, 이건 어쩌면 운명일까. 윤민혁은 어둠 속의 은신처에서 슬슬 맛이 간 생각들을 펼치기 시작했다.

부스럭.

그리고 그때 소리가 들렸다. 한국 시간으로 오후 열한 시에서 몇 분이 남지 않은 때였다.

리더, 윤민혁은 상황을 파악하지 않고 반사적으로 움직였다. 단순한 착각이나 지나가는 소리가 아니었다. 명백하게 그가 들어온 비밀 굴의 입구 쪽에서 난 소리이다. 동물일 수도 있다. 그러나 지금, 이 시간에? 더욱이 기척은 크고 분명하다. 자신의 몸집에 어울리지 않는 작은 굴의 구멍 속으로 몸을 비집고 들어올 대형 동물은 없었다. 이 안에서 피 냄새가 나기는 하지만 그것만으로 지금 이 시점에 찾아드는 저것이 맹수라고 생각할 수 있을까.

초식 동물을 아무런 겁도 없이 사냥해 잡아먹을 절대적인 포식

자 류의 동물들은, 저 좁은 굴을 들어오기 어려웠다. 구조적으로 네발 동물들이 사람보다 바짝 엎드리기가 쉽지 않았다.

고로, 저 입구 쪽의 수풀 전체가 흔들리는 듯한 기척은 사람의 것이다. 그리고 지금 이 순간에 이름 모를 무인도 속에서 이곳으로 들어올 사람은 단 한 명뿐이었다.

그는 대상을 확인하지도 않고 그냥 주저없이 바로 도약을 했다.

후욱, 하고 바위에 걸터앉아 있던 그가 사라진다. 몇 초 정도의 텀으로 누군가 입구 쪽 낮은 구멍에서 머리를 디밀었다.

리시버, 최길우였다. 흙 부스러기 따위로 깔끔하던 얼굴이 엉망인 꼴이었다. 그는 내부의 윤곽을 얼핏 확인하자마자 바로 몇 걸음 앞으로 이동했다. 후욱, 하고 엎드린 자세 그대로 그가 이동을 해 온다. 다만 축을 바꾸어 지면과 수직이 되도록 선 채로 이동한다. 바닥에 붙은 듯 엎드린 자세가 중력에 따라 자연스레 풀리고 그가 서 있었다.

그는 JE의 잔향을 기계적인 수준으로 빠르게 파악했다. 그가 찾던 도망자의 흔적이 맞다. 그는 그것을 따라 이동했다.

다시, 한국이었다. 어쩌면 이번에 도달한 곳에서 끝장을 볼지도 모른다. 리시버는 따라 추적 도약을 하면서 그런 생각이 들었다.

*

한국. PM10:55.

어느 아파트의 실내였다. 지리는 추적 도약을 해왔기에 정확히 알기 어려웠다. 그 방향과 대략적인 위치를 가늠하며 따라가는 일인데, 그 '대략적'의 범위란 국가적 거리의 인식이었다.

대강, 한국. 대강, 남한일 확률이 높은 곳. 리시버는 그렇게만 인지하며 공간 이동으로 리더를 따라갔다. 그는 리더의 모습을 정확히 본 건 아니었지만, 그 시간 무인도에 숨죽이고 있었을 점퍼라면 그밖에 생각할 수 없었다.

그리고 그곳에서 리시버는 기다리고 있던 도망자를 맞이할 수 있었다.

휙!

점퍼는 도약을 하고 곧바로는, 잠시간 시야의 암전을 겪는다. 점퍼가 도약을 하는 과정을 미세하고 세밀하게 느낀 뒤 분리해 정리한다면, 가장 먼저 시야의 감각을 잃는다. 그리고 '도약'의 중간 과정, 도약지에서 사라진 시점에서 온몸의 감각을 잃어버린다. 그리고 도착지에 나타나면서, 잃어버린 사감(시야를 뺀 네 가지 감각)들이 돌아오고, 시야가 마지막에 돌아온다.

시각의 상실과 회복은 거의 순식간이었다. 도약의 시작과 마지막에 한 호흡이라고 하기도 뭐한 짧은 시간. 그러나 한순간의 떨림과 망설임으로 생사가 오가는 전투 중에는 분명한 텀으로 인식될만한 길이였다. 능숙한 이들은, 눈으로 보고 돌아온 몸의 둔한 감각으로 느끼기 전에 상상하여 움직인다.

리시버는 아파트에 도착하면서, 기이한 예감을 느꼈다. 그리고 그건 예측에 가까웠다. 그가 도망자라면. 여태까지 보여줬던 그 리더의 움직임이라면. 분명히 한 번 쯤은 기습을 가해올 지 모른다는 생각이 자연스레 떠올랐던 것이다.

리시버는 아파트에 도착하면서 자신도 모르게 일단 움직였다. 전후좌우, 제대로 방향을 가늠하기 어려웠다. 다행히 먼저 돌아온 청각에 무언가 날아드는 소리가 들렸다. 아마, 정면에서였다. 그는 뒤의 오른쪽, 대각선 방향으로 몸을 넘어뜨리듯 빼면서 자리를 피했다. 넘어지려 몸에 힘을 준 다음에 시야가 돌아온다.

허공에는 그를 노리고 날아드는 쇠붙이가 있었다.

최길우의 눈에는 순간 흐릿한 윤곽만 보였지만, 작은 손도끼였다. 리더가 품에 장착하고 있다가 가끔 비밀무기처럼 적을 놀라게 하는 데 쓰곤 한다. 지금처럼.

리시버는 그대로 몸의 뒤쪽으로 무게 중심을 두면서 도끼의 반대 방향으로 빠르게 넘어졌다. 붕붕붕, 하고 돌아가는 손도끼의 소리가 들리는 듯했다. 예리하게 갈아진 칼날은 회전력 그대로 사람의 두개골 정도는 뚫을 정도의 위력을 갖고 있었다.

리시버는 기민한 동작으로 움직였다. 그의 몸이 넘어진 위의, 조금 옆자리로 도끼가 날아서 지나갔다. 퍽, 카득! 아파트는 아무런 가구가 없는 빈방이었다. 큰 사이즈의 실내였고, 한 벽면에 손도끼가 뚫고 박힌다. 거친 자국과 잔해가 손도끼의 날 주변으로 튀었다. 윤민혁이 순식간에 팔 힘만으로 던진 것이었지만 위력이 상당한지 날이 파묻히듯 들어갔다. 반대편에서 보면 손도끼가 조금 튀어나와 있다.

아파트의 실내는 어두웠다. 바깥에서 들어오는 달빛, 거리의 불빛 따위만이 안팎을 조금 밝히는 정도였다. 그 외에 발치를 밝히는 비상등같은 가느다란 빛줄기만이 광원이다.

리시버는 흐릿하게 윤곽들을 인식했다. 정면에 커다란 몸통. 그놈이었다. 달빛만으로 어스름한 위치와 형체는 분간 가능하다. 이 정도면 전투는 가능하다.

리더는 몇 초 정도의 우위만으로 순식간에 매복을 준비했다. 정확히 말하자면 몸을 숨길 여유도 없었지만, 점프 시의 시각적 공백을 이용한다면 '매복'이라고 불릴 만했다. 어차피 상대가 어떤 위치로 날아들 지 모른다는 점에서, 그 역시 반응의 공백이 있지만 실내 전체를 주시하면서 반사적으로 움직인다면 상대보다는 조금 빠를 테였다.

누구의 반사 신경이 더 빠른가. 아마 이것으로 끝내기는 어렵겠지만, 상대의 호흡만 잃게 만들어도 충분하다. 윤민혁은 아파트 실내의 모퉁이에서 전경을 주시하다가 기이한 감각과 함께 누군가의 신형이 생겨나자 그곳으로 손도끼를 꺼내들어 던졌다.

아차, 상대가 아슬아슬한 움직임으로 재주 좋게 피해냈다. 더군다나 반응도 빠른 것 같았다. 그보다도 말이다. 어느 정도 시점을 지난 이후부터 그의 몸뚱이는 전투에 있어서 최고의 효율을 발휘하지 못한다. 솔직히 말하자면 삐걱거리는 느낌마저도 나는 듯했다. 반면 젊은 추적자는 자신의 물리적인 전성기를 맞이하는 나이대의 인간이다.

같은 조건에서 출발 신호를 받고 뛰는 공평한 경쟁을 한다고 하더라도, 이길 확률이 없는 게임을 반복하는 경우나 마찬가지다.

기세 그대로 리더가 상대의 움직임에 대비하며 다음의 행동으로 자세를 옮기기 전에 리시버가 늘 조금 빨랐다.

리시버는 누인 몸에서 바로 도약을 했다. 후욱, 하고 바람에 순식간에 사라지는 연기처럼 그의 신형이 사라졌다. 아주 잠깐의 텀 다음에 그가 나타난 곳은 리더의 옆, 한두 걸음 간격을 둔 자리였다. 리시버는 정해진 발사체를 쏘아내는 기계처럼 팔을 휘둘렀다. 미리 상상해 둔 동작을 시도하는 것이었다. 그는 그런 합을 잘 만들고 실전에서 요령 좋게 사용하는 편이었다.

사정을 아는 시점에서 보면 묘기에 가까운 행동들이었다. 눈을 감고 상대방을 제압하는 것이었으니. 시야보다 먼저 돌아오는 촉각, 소리, 상대의 호흡이나 기세, 공기의 떨림 따위를 받아들인다면 의외로 불가능한 정도의 일은 아니었다. 필요한 건 담력 정도다. 한발 먼저 상대에게 일단 팔을 뻗고 합을 맞출만한.

그다음은 상대의 대응에 따라 다르다. 어차피 팔다리 달린 인간임은 틀림없었고, 미세한 기척은 예민하게 굴면 파악할 수 있다. 자신도 상대도 팔이 두 개인 이상, 대부분의 경우는 다른 수작을 부리지 못하게 된다. 그가 뻗어대는 주먹이나 손바닥을 막는 것만으로 벅찬 경우가 많다.

리시버가 오른팔을 뻗는다. 리더가 자신의 관자놀이 부근을 정확하게 노려오는 빠른 주먹에 식겁했다. 보지도 않고 휘두르는 주먹이라기엔 정확도가 경이로웠다. 복서의 잽이었다. 근육에 기억된 움직임. 준비 없이 뻗어도 기본적인 날카로움이 있었다.

리더 역시 머리로 온전히 인식하기 이전에 감각적인 반응으로 움직였다. 몸을 뒤로 틀며 리시버를 보고 한 발자국 물러난다. 잽보다 빠를 수는 없었지만 상대가 자신에게 오기까지의 시간이 있었다. 그대로 어깨를 낮추며 머리를 대각선으로 내렸다. 일단 오른손의 잽Jab은 헛손질이 되었다.

그 순간에 최길우는 시야를 회복했다. 자신의 오른손 잽이 허공을 질렀고, 상대가 자세를 낮춘 채로 아래에 있다. 그는 본능적으로 거리를 더 좁히며 왼 다리의 니 킥Knee Kick을 갈겼다. 상대의 낮아진 머리가 있는 지점을 향해서.

어두운 아파트의 방 안. 나름대로 광원이 되어주는 달빛이나 바깥 도시의 빛이 통창을 넘어 들어와 전투를 지속 가능하게 만들어준다. 두 남자의 신형이 빠르게 얽히며 팔다리가 교차했다. 승부를 가리기 위해서였다.

리더는 상대방의 무릎이 올라옴을 느끼고 비어있는 손을 교차시켜 내세웠다. 양 손바닥을 겹쳐서 정확하게 무릎 부위를 막는다. 기세 그대로 밀려나며 충격을 줄인다. 균형을 잃고 넘어지는 게 그리 큰 실책은 아니었다. 어떤 자세에서든, 결국 조르기 따위의 싸움으로 가면 복싱보다 더 선명한 기술 싸움의 영역이 된다.

기술자들의 겨루기라면 그 역시 그다지 약한 부분은 아니었다. 실전에서 가장 유용하게 써먹을 수 있는 움직임들이기도 했고. 그가 도약을 자유롭게 하며 상대와의 거리를 신경 쓰지 않는 점퍼라는 사실을 들었을 때, 비 능력자들을 상대로 전쟁에서 활약하기 위해 수도 없이 써먹은 자세들이었다.

리시버의 유술이나 주짓수, 조르기의 실력이 어느 정도인지는 몰랐지만 윤민혁은 자세를 유지하기 위해 크게 애쓰지는 않았다. 니킥에 실린 힘은 순간적인 것이었지만 강력했다. 그는 아파트 방바닥에 그대로 넘어졌다.

넘어지며 그대로 뒤로 굴러 자세를 회복한다. 뒤구르기로 재빠르게 일어났다. 최길우는 그 틈새를 놓치지 않고 한 번 더 시도했다. 그가 일어나려던 자리를 스탬프 킥으로 쾅, 찍었다. 니 킥에서 회복하고 오른발로 찍은 것이다.

그가 관성을 이겨내고 오른발을 쓰는 것이 리더가 일어나는 것보다는 반 박자 느렸다.

윤민혁이 다시 정면을 주시하며 정상 자세로 복귀하기 전에, 최길우는 딱히 기다리지 않았다. 그리고 틈이 벌어지자 다시 쫓아가기 위해 움직이지도 않았다. 그는 그냥 허리 뒷춤에서 무언가 꺼내들어 양팔로 잡고 앞으로 겨누었다. 물 흐르듯, 여러 번을 반복해서 익숙한 동작의 흐름이었다.

한시간 여 전에, 아프리카의 땡볕에서 리더의 허벅다리를 노렸던 에어건이었다. 부품적으로 위력을 다소 줄여 살상력을 최소화했다. 공기 권총의 목적은 적의 무력화였다. 보통 팔 다리를 노리고, 중요 장기나 얼굴 부분은 가급적 피한다.

최길우는 말했듯 사격에도 일가견이 있는 편이었다. 조직의 단독 행동 요원이 되기 위해서는 현대전의 기본에는 모두 익숙해야 했다.

검은 빛의 날렵하게 생긴 권총이다. 단번에 12발까지는 연발이 가능했다. 그리고 대부분의 상황에서는 무력화까지 12발까지도 필요가 없다. 최길우가 묵직한 빛의 권총 방아쇠를 당긴다.

같은 순간에 상대도 리시버가 따라오지 않는 것을 느꼈다. 근접 박투가 아니라면 결국 경우는 하나 뿐이었다. 원거리 무기. 가장 간단한 원거리 무기를 떠올린 리더는 황급히 왼쪽 허리춤에서 권총을 뽑아 들었다. 그의 경우는 일반적인 화약총이었다. 최길우가 쓰는 것보다는 위력이 훨씬 좋다.

타, 타탕, 탕!
탕!
끅!

연사적으로 총성이 울렸다. 아파트는 시내에서 좀 떨어진 곳에 지어진 건물이었다. 소음기도 없이 폭음이 들렸지만 그들은 신경 쓰지 않았다. 당장은 서로의 움직임에 갈릴 수 있는 목숨줄의 여부가 더 중요했다.

최길우의 에어건은 정확도가 좋았다. 리더는 자세가 불안정했고, 뒤늦게 반응했다. 컨디션도 그리 좋지 않았고. 서로 몸통 부위는 노리지 않았다. 재킷 류의 상의를 입은 처지였고, 그사이에 어떤 방탄 피복을 껴입었을지 모른다. 이런 일을 하면서 그 정도의 장비도 없는 게 더 이상한 일이었다.

먼저 쏜 공기총탄이 한쪽 무릎을 꿇은 리더의 다리를 맞추었다. 그리고 다른 한 발은 총을 들고 있는 팔의 윗부분을 맞추었고, 다른 두 발은 빗나갔다. 윤민혁은 신음을 내지르며 망가진 팔다리로 방아쇠를 당겼다. 그가 맞은 한쪽 허벅다리는 부상이 심각했다. 쇠판 따위로 덧대어진 자리가 아니라 평범한 옷 위를 뚫었다. 오른쪽 허벅지의 안쪽이 뚫렸다.

총을 지탱하는 왼쪽 팔의 팔뚝이 맞자 총구가 흔들렸다. 그가 쏜 화약 탄은 충격과 반동으로 오른쪽으로 크게 기울여진 상태에서 발사됐다. 화약 탄은 애꿎은 방바닥을 뚫는다.

윤민혁이 입은 두터운 자켓은 방탄 소재가 안에 있는 물건이었지만, 공기총탄의 위력에 자세가 무너지는 건 어쩔 수 없었다. 당장 리시버도 몸통 부위를 맞으면 관통되거나 죽지는 않지만, 그에 버금갈 만큼 아픔은 느낀다. 순간 동작 불가능 상태가 되는 것이다.

팔뚝에 맞은 건 지속적으로 큰일은 아니었다. 하지만 안쪽 다리를 뚫고 들어온 납탄은 쇼크를 일으키고 정신을 가다듬지 못하게 할 수 있는 충격이었다. 리더는 정신을 잃지 않고 도약을 하려 했다. 리시버가 그 모습을 가만히 두고 보지 않았다.

몇 걸음의 거리를 걷는 것보다 순간이동이 더 빠르다. 리시버의 형체가 먼저 사라졌다.

"Shit!"

리더는 답잖게 영어로 욕을 했다. 그리고 이를 악물고 움직인다. 눈 깜박할 사이의 틈. 그는 상대의 움직임을 예측할 수 밖에 없었다. 어차피 비틀린 자세를 무너뜨리며 원래 있던 뒤편을 향해서 총구를 겨누고 바로 방아쇠를 당겼다. 타앙-!

화약탄이 날아간 자리에, 최길우가 등장했다. 재수없게 머리를 맞지는 않았다. 어차피 리더로서도 정확한 위치를 알 수 없어 적당히 겨눈 것이었다. 머리는 좌우의 위치를 조금만 틀리면 벗어나니, 조금 더 확실한 사격을 위해서 어깨 선 즈음의 높이를 감으로 노렸다.

최길우는 시야가 회복되기 이전에 격통을 먼저 느꼈다. 오른쪽 어깨 부위가 맛이 간 느낌이었다. 더럽게, 아팠다. "욱."

꼴사납게 비명을 지르지 않은 건 대단한 정신력이었다. 사실 총탄에 잘못 맞으면 비명을 지를 새도 없이 반사적인 충격과 함께 몸에 힘이 풀리며 쓰러지는게 보통이지만, 그가 입은 최첨단 기술의 집합체는 성능이 상당히 좋았다. 치명상을 줄이는 대신에 체감하는 고통을 극대화시킨다. 일반적인 구경의 화약탄은 뚫지 못한다. 소총탄까지도 막아낸다. 계속 언급하듯, 더럽게 아플 뿐이다.

무방비로 헤비급 복서의 펀치를 맞는 것보다 좀 더 심하다. 글러브 없이 맨 살에.

리더는 인지하고 생각하기 이전에 계획해둔 대로 움직였다. 점퍼들의 싸움은 극에 달하면 이런 법이었다. 어차피 맥락이 없는 이동기술을 보유한 피차간에, 예상의 영역에서 싸워야 하는 것이다. 누구의 상상이 더 잘 맞아떨어지는가. 맞추는 쪽은 유리하게 싸움을 끌고 나가고, 빈약한 예측을 준비한 쪽은 무력하게 무너질 때도 있었다.

둘의 상상과 예측력은 서로 견줄 만했다. 최길우가 전체적인 기능이 더 뛰어난 편이었지만, 리더의 경험과 배짱도 그 앞에서 무력하지는 않았다.

곧 리더는, 상대가 아마 맞았으리라 생각하고 연발로 방아쇠를 당겨 대었다. 탕, 타타탕! 리시버가 최초의 탄을 맞기 전에 결정한 행동이었기에 반응할 틈 없이 빨랐다.

최길우는 고통 속에서도 정신력을 집중해야 했다. 총탄에 당하는 수준의 상태라면 넋 놓고 있다가 패닉에 빠질 위험도 있었다. 일단 그 자리에서 빠져나가는 것이 최선이다. 곧바로 아찔한 정신에서 도약을 시도 한다.

"커,"

뱉어지는 숨소리가 채 다 튀어나오지도 못하고 리시버가 이동했다. 연달아 날아오는 납탄이 모두 그에게 맞지는 않았다. 첫발과 그다음 연속 사격은 아주 약간의 간격이 있었다. 두 번째의 탄환이 리시버의 자켓 위, 복부에 맞았다. 그다음 것들은 재차 사라지는 최길우의 신형을 지나 허무하게 날아갔다. 애꿎은 아파트의 벽면에 탄흔만 새긴다.

최길우는 사라졌다.

리더는 넓은 실내에 혼자 남았다. 상대의 도약의 도착지는 적어도 눈에 보이는 이 밀실 공간 내부는 아니었다. 그는 긴장이 풀린 듯 천천히 앞으로 쓰러졌다.

상대보다 자신의 상태가 더 심각했다. 허벅지를 뚫은 납탄은 견디기가 어려웠다. 한쪽 다리는 이미 움직이지 못하는 지경이다. 왼쪽 다리도 얕지만 총상이 있었고.

반면,

최길우가 나타난 곳은 그가 한국의 서울을 목적지로 삼을 때 자주 가는 어느 원룸 방 안이었다. 그가 개인적으로 구입한 빌라의 내부다. "크억." 그는 마저 숨을 토해내며 자리에 엎어졌다. 헤비급 복서의 펀치를 무방비로 맞는다. 그것도 글러브도 없이. 그가 당한 건 그런 충격이었다. 대비하는 상대의 몸통을 막무가내로 때리면 상대의 주먹도 타격이 있을 수 있겠지만, 그가 맞은 건 납탄이었다. 조직의 최신 방탄 자켓은 효과가 아주 좋아서 목숨을 연명하는 데는 쓸만 했지만 일시적인 행동 정지까지 막아주지는 못했다.

그에게 필요한 건 단 몇 초 였다. 고통은 익숙했다. 관통상이 아니라면야. 물리적인 쇼크가 오는 수준은 아니었다. 재수 없이 구경이 큰 탄환을 뼈가 있는 자리에 맞으면 골절을 당하기도 하지만, 죽을 만큼 심한 복통을 잠시 견디는 정도였다. 그가 당한 자리는.

곧바로 호흡을 가다듬고 다시 이동을 했다. 추적을 통해 따라간 위치의 좌표 데이터는 점퍼에게 남는다. 단체 도약으로 객체로서 따라간 것이 아니라 점프의 주체로서 자신이 이동한 것이기에. 그는 몇 초 전의 아파트로 도약했다.

후욱, 하고 불 꺼진 어느 원룸 방에서 그의 신형이 사라졌다.

아파트의 실내에,

리더는 웅크린 채 앞으로 쓰러져 있었다. 그는 정신을 가다듬고 다시 도약을 시도하려 했지만 제대로 먹히지 않았다. 몸이 둔해진 것일까, 정신력이 나약해진 것일까. 총탄을 맞고 잘 움직이지 않는 몸뚱아리는 정신도 고장이 나버렸다. 컴퓨터에 접속을 해야 하는데, 전원이 들어가다가 계속 도중에 끊어지고 부팅이 되다 마는 느낌이었다.

윤민혁은 도약을 몇 차례 시도했으나 실패했다. 고통과 충격으로 정상적으로 집중이 되지 않았다. 그렇게 긴 시간은 아니었지만,

윤민혁에게는 불행히도 충격에서 먼저 회복을 한 건 상대방이었다. 리시버는 대담하고 용의주도하다. 그는 도망자가 그 자리에 있을 것이라 짐작을 하고 똑같은 자리, 상대의 뒤편으로 도약을 했다.

앞으로 엎어져서 바닥에 이마를 대고 신음을 흘리는 리더의 바로 뒤에 최길우가 나타났다. 그 역시 표정이나 안색이 썩 좋지는 않다. 그러나 적어도 행동 불능 상태의 적을 제압할 정도의 기운은 갖고 있었다. 시간이 지날수록 격차는 더 벌어질 것이다. 총상과, 단순한 타격같은 차이였다. 리더는 맞은 자리가 좋지 않았다.

최길우는 시야를 회복하자마자 어두운 방 안에 웅크린 한 사내를 보았다. 그는 그 뒤로 그대로 엎어지듯 내리 누웠다. 두 팔은 자연스럽게 가장 빠르고 간단한 제압기를 실행했다. 뒤에서 목조르

기였다.

엎어지고, 힘없이 신음하는 사내의 뒤로 그가 팔뚝을 감았다. 큰 저항도 없이 그의 팔이 상대의 아래로 웅크린 목을 잡았다. 상대가 바닥에 얼굴을 붙이고 있어 그 역시 그 위에 눕듯이 굴어야 했다. 익숙하게, 훈련한 대로, 그 목을 조르고 다른 팔로 조인 팔을 받치면서 잠갔다. 그대로 힘을 주면 몇 초 안에 경동맥이 눌리며 상대가 기절한다.

리더는 반항할 힘조차 없는 상태였다.

"끄으으!"

비명처럼 신음을 토해낸다. 윤민혁의 소리였다. 그는 지독하게 발버둥 쳤다. 다시 조직에 잡혀들어갈 수 없었다. 또다시 수십 년의 세월을 구속 속에서 살아가게 될 터였다. 이번에는 처음이 아니니 남은 평생 전부가 될지도 몰랐다. 그는 이를 악물고 졸려오는 목에 저항했다.

이미 완성된 조르기를 피할 힘은 없었다. 대신 그는 여전히 쥐고 놓지 않던 권총을 틀었다. 한껏 웅크린 그보다는 리시버의 자세가 더 몸의 부피가 컸다. 그는 자신의 옆구리 너머로 상대의 몸통을 대충 가늠했다. 잘못하면 자신이 맞을 수도 있었지만 상관하지 않았고,

숨이 넘어가기 직전에 방아쇠를 당겼다.

타탕!

"끄어어어어."

리더의 목을 조르는 팔뚝에 힘이 풀리는 것을 최길우는 정신력 너머의 의지로 붙들었다. 다행히 조르기가 지속되었고 상대가 축 늘어진다. 대신, 최길우 역시 옆으로 이어서 쓰러졌다.

상대가 당긴 총알이 영 좋지 못한 곳을 맞았다. 버튼을 채운 재킷은 빈틈없이 상체를 감쌌지만, 그래도 충격은 여전하다. 또 부위에 따라 타격류의 통증으로 바뀐대도 부상이 생길 수 있었다. 최길우는 상대의 총탄이 누른 곳이 갈비뼈 부위임을 알았다.

리시버는 그대로 고통에 몸을 가누지 못했다. 갈비뼈 한두 개가 부러지거나 적어도 금이 간 것 같았다. 아파트 바닥에 누웠다. 숨을 몰아쉬면 그에 따라 고통이 전해졌다. 비명이 새어 나올 것 같았지만 참고 지르지는 않았다. 이를 악문 채 얼굴을 찡그릴 뿐이었다.

한동안, 그는 총상을 입은 윤민혁을 내버려 두고 상태를 회복하기 위해 한참을 그러고 있었다.

*

얼마간의 시간이 지났다. 지나치게 긴 시간은 아니었다. 리시버는 되도록이면 빨리 움직이기 위해 애를 썼다. 아드레날린을 분비시키면 당장 움직이지 못할 건 아니었다. 허벅다리에 납탄을 맞은 상대는 시간을 지나치게 지체하면 출혈로 목숨이 간당간당할지 몰랐다.

그가 지체한 시간은 1, 2분 정도였다. 고통에 드을 대고 누워 비척거리다가 이를 악물고 일어났다. 어쨌든, 상대의 제압에는 성공했다.

그를 반겨 줄 조직원들에게 돌아가 망할 범죄자를 넘기고 좀 쉴 차례였다. 그는 어기적거리면서 몸을 움직여 바로 앞의 윤민혁에게 다가간다. 상대는 축 늘어진 채로 바닥에 무릎을 꿇고 있었다. 눌린 허벅지에서 피가 배어 나오는 듯하다.

천천히 정신을 잃은 리더의 등에 손을 가져다 댔다. 그는 그대로, 정신을 가다듬으며 위치를 떠올렸다. 비로소 돌아가는 귀환처. 동료들이 기다리는 조직의 본부 기지로였다.

그의 존경하는 선배이자 믿음직한 형, 소드 마스터 홍인우를 백업하기 위한 임무였건만. 아마 분명히 그가 홍인우보다 고생을 더 했을 테였다. 그만큼 리더는 만만찮은 상대였다. 이런 존재가 여럿이 있다면 조직으로서도 특별한 경계 태세를 가져야 할지 모른다.

어쨌든 오늘은 최길우의 선에서 처리가 되었다. 잠시간 숨을 가다듬은 그는,

후욱 하는 소리와 함께 아파트의 내부에서 사라졌다. 손을 얹은 리더와 함께였다.

점퍼Jumper, 순간이동자 1권 끝.